POCHES O

LE NOUVEAU VOYAGE
D'HECTOR

Essais

Les Contes d'un psychiatre ordinaire, 1993, « Poches Odile Jacob », 2000.

Comment Gérer les personnalités difficiles (avec Christophe André), 1996, « Poches Odile Jacob », 2000.

L'Estime de soi (avec Christophe André), 1999, « Poches Odile Jacob », 2002.

La Force des émotions (avec Christophe André), 2001, « Poches Odile Jacob », 2003.

Romans et contes

Liberté pour les insensés. Le roman de Philippe Pinel, 2000.

Le Voyage d'Hector ou la recherche du bonheur, 2002, « Poches Odile Jacob », 2004.

Hector et les secrets de l'amour, 2005, « Poches Odile Jacob », 2008.

FRANÇOIS LELORD

LE NOUVEAU VOYAGE D'HECTOR

À la poursuite du temps qui passe

Odile Jacob

poches

© ODILE JACOB, 2006, SEPTEMBRE 2008
15, RUE SOUFFLOT, 75005 PARIS

ISBN : 978-2-7381-2144-8
ISSN : 1621-0654

www.odilejacob.fr

À celles et à ceux qui ont inspiré Hector.

Hector n'est plus tout à fait
un jeune psychiatre

Il était une fois un jeune psychiatre nommé Hector.

En fait, Hector n'était plus tout à fait un jeune psychiatre, mais, attention, pas encore un vieux psychiatre non plus. De loin, vous auriez pu encore le prendre pour un jeune homme encore étudiant, mais de près vous pouviez voir que c'était déjà un vrai docteur avec une certaine expérience.

Hector avait une grande qualité comme psychiatre : quand on lui parlait, il avait toujours l'air de réfléchir à ce qu'on lui disait. Les gens qui venaient le voir l'aimaient beaucoup pour ça : ils avaient l'impression qu'il réfléchissait sur leur cas (c'était vrai presque toujours) et qu'il allait leur trouver le moyen d'aller mieux. Au début de sa carrière, il se tortillait la moustache quand il réfléchissait, mais maintenant il n'en avait plus, car, quand il était un débutant, il l'avait laissée pousser pour avoir l'air plus âgé ; aujourd'hui, ce n'était plus la peine, puisqu'il n'était plus tout à fait un jeune psychiatre. Le temps avait passé, comme on dit.

Mais il n'avait pas tellement passé pour les meubles de son bureau. Il avait le même bureau qu'à ses débuts, avec un canapé d'un genre ancien que lui avait offert sa maman quand il s'était installé, de jolis tableaux qu'il aimait bien et même une statuette qu'un ami lui avait rapportée du pays des Esquimaux : un ours en train de se transformer en aigle, ce qui est assez original pour un bureau de psychiatre. De temps en temps, quand Hector se sentait enfermé depuis trop longtemps dans son bureau en train d'écouter les gens, il regardait l'ours aux grandes ailes qui lui poussaient dans le dos, et il rêvait que, lui-même, il s'envolait. Mais pas long-temps, car il se sentait vite coupable s'il n'écoutait pas bien la personne assise en face de lui qui lui racontait ses malheurs. Car Hector était consciencieux.

La plupart du temps, il voyait des grandes personnes qui avaient décidé d'aller voir un psychiatre parce qu'elles étaient trop tristes, trop inquiètes ou pas contentes de leur vie. Il les faisait parler, il leur posait des questions, et parfois aussi il leur donnait de petites pilules, souvent les trois à la fois, un peu comme quelqu'un qui jongle avec trois balles en même temps.

Car la psychiatrie c'est au moins aussi difficile que ça. Hector aimait beaucoup son métier, d'abord parce que souvent il avait l'impression d'être utile. Et aussi parce que ce que racontaient ses patients l'intéressait presque toujours.

Par exemple, de temps en temps, il voyait une jeune dame, Sabine, qui lui disait toujours des choses qui le faisaient réfléchir. Quand vous êtes psychiatre, c'est curieux, vous apprenez énormément de choses en écoutant vos patients, alors que souvent ils croient que vous savez déjà presque tout.

La première fois, Sabine était venue voir Hector

parce qu'elle avait trop d'émotions au travail. Sabine travaillait dans un bureau et son chef n'était pas gentil avec elle, il la faisait souvent pleurer. Bien sûr, elle se cachait toujours pour pleurer, mais c'était tout de même bien pénible.

Peu à peu, Hector lui fit sentir qu'elle méritait peut-être mieux qu'un chef pas gentil, et Sabine prit assez de confiance en elle pour trouver un nouveau travail. Et aujourd'hui elle était plus heureuse.

Avec le temps, Hector avait peu à peu changé sa manière de travailler : au début, il essayait surtout d'aider les gens à changer de caractère ; maintenant, il continuait bien sûr, mais il essayait aussi de les aider à changer de vie, à en trouver une nouvelle, de vie, qui leur conviendrait mieux. Parce que, pour faire une belle comparaison, si vous êtes une vache, jamais vous n'arriverez à devenir un cheval, même avec un bon psychiatre. Mieux vaut trouver un joli pré où on a besoin de lait que d'essayer de galoper sur un champ de courses. Et surtout, il vaut mieux éviter d'entrer dans une arène, parce que là c'est toujours la catastrophe.

Sabine n'aurait pas été contente qu'on la compare à une vache, qui est pourtant un animal doux et sympathique, et aussi une très bonne maman, avait toujours pensé Hector. Il est vrai qu'elle était aussi très intelligente, et parfois cela ne la rendait pas gaie, parce que, comme vous l'avez déjà peut-être remarqué, le bonheur parfois, c'est de ne pas tout comprendre.

Un jour, Sabine dit à Hector :

— Parfois, je me dis que la vie, c'est une vraie arnaque.

Hector sursauta.

— Qu'est-ce que vous voulez dire ? demanda-t-il. (C'était toujours ce qu'il disait quand il n'avait pas bien écouté du premier coup.)

— Ben oui, on naît, et tout de suite, il faut s'agiter, aller à l'école, et puis travailler, faire des enfants, et puis vos parents meurent et puis vlan ! soi-même, on devient vieux et on meurt.

— Ça prend quand même un peu de temps, non ?

— Oui, mais ça passe si vite. Surtout quand on n'a jamais le temps de s'arrêter. Comme moi, par exemple, avec le boulot, le soir les enfants, le mari. Lui non plus, le pauvre, il ne s'arrête jamais.

Sabine avait un gentil mari (elle avait eu aussi un gentil papa, ce qui augmente les chances de trouver du premier coup un gentil mari) qui travaillait beaucoup, lui aussi dans un bureau. Et deux petits enfants, dont le premier avait commencé à aller à l'école.

— J'ai toujours l'impression d'avoir une horloge dans le ventre, dit Sabine. Le matin, il faut tout préparer, partir à temps pour emmener l'aînée à l'école, et après filer au bureau. Il y a les réunions où il faut arriver à l'heure, mais pendant ce temps le reste du travail s'accumule, et puis il faut encore se presser aussi le soir, récupérer l'enfant ou rentrer à temps pour la nounou, et puis les repas, les devoirs… Et encore, j'ai de la chance, mon mari m'aide. C'est tout juste si on a le temps de se parler le soir, on s'endort tout de suite tellement on est fatigués.

Hector savait tout cela, et c'était peut-être un peu

pour ça qu'il avait passé beaucoup de temps à penser à envisager de réfléchir à décider de songer sérieusement à se marier et faire des bébés.

— J'aimerais que le temps ralentisse, dit Sabine. J'aimerais avoir le temps de savourer la vie. Je voudrais avoir du temps pour moi, pour faire ce que je veux.

— Et les vacances ? demanda Hector.

Sabine sourit.

— Vous n'avez pas d'enfant, Docteur ?

Hector reconnut que non, pas encore.

— Finalement, dit Sabine, je crois que je viens vous voir aussi pour ça. Cette consultation, c'est le seul moment de la semaine où pour moi le temps s'arrête, où le temps est entièrement à moi.

Hector comprenait bien Sabine. D'autant plus que lui aussi, dans la journée, avait souvent l'impression d'avoir une horloge dans le ventre, comme tous ses collègues. Quand vous êtes psychiatre, vous devez toujours faire attention au temps, parce que si vous laissez votre patient vous parler trop longtemps, le suivant va s'impatienter dans la salle d'attente. Alors vous prenez du retard pour tous les rendez-vous de la journée. (Parfois, c'était très difficile pour Hector, par exemple quand trois minutes avant la fin de la consultation, au moment où il commençait à s'agiter sur son fauteuil pour montrer que c'était bientôt fini, la personne en face de lui disait brusquement : « Au fond, Docteur, je crois que ma mère ne m'a jamais aimée », et se mettait à pleurer.)

L'horloge dans le ventre, se dit Hector. C'était un vrai problème pour tant de personnes, surtout pour les mamans. Qu'est-ce qu'il pourrait bien faire pour les aider ?

Hector et le monsieur
qui aimait les chiens

Un autre jour, Hector écoutait Fernand, un monsieur qui n'avait rien de spécial sinon qu'il n'avait pas d'amis. Ni de femme, ni de petite amie non plus. Était-ce dû à sa manière de parler très monocorde, ou au fait qu'il ressemblait un peu à un héron ? Hector ne savait pas, mais il trouvait très injuste que Fernand n'ait pas d'amis, car il était gentil et disait des choses fort intéressantes, mais un peu bizarres, il faut le dire.

Un jour, Fernand dit brusquement à Hector :

— De toute façon, Docteur, à mon âge, il ne me reste plus que deux chiens et demi.

— Pardon ? dit Hector.

Il se souvenait que Fernand avait un chien (un jour, Fernand l'avait amené avec lui, un chien très bien élevé qui avait dormi pendant toute la consultation), mais pas deux, et il comprenait encore moins ce qu'aurait été un demi-chien.

— Ben oui, dit Fernand, un chien ça vit quatorze, quinze ans, non ?

Hector comprit alors que Fernand comptait la vie qui lui restait en vies de chiens qu'il aurait pu avoir comme compagnons. Du coup, il se mit à compter en vies de chiens la vie qui lui restait (qui lui restait *probablement*, car vous ne savez ni le jour ni l'heure, comme l'a dit il y a longtemps quelqu'un mort assez jeune), et il hésitait entre quatre et cinq. Bien sûr, il se dit que ces calculs pouvaient changer si la science faisait d'extraordinaires progrès pour vous faire vivre plus longtemps, mais peut-être pas finalement car on allongerait sans doute aussi la vie des chiens, et ceci, notez-le bien, sans leur demander leur avis.

Hector parla de cette manière de compter sa vie en chiens à ses amis, et ça les effraya complètement :

— Quelle horreur !

— En plus, penser à la mort de son chien, c'est trop triste.

— Justement, moi, je n'en aurai plus, car la mort de notre petit Darius, ce fut trop douloureux.

— Tu vois vraiment des gens complètement zinzins !

— Compter le temps en chiens ! Et pourquoi pas en chats ou en perroquets !

— Et s'il avait une vache, il compterait en vaches ?

En écoutant tous ses amis parler de l'idée de Fernand, Hector comprit que ce qui ne leur plaisait pas du tout, c'était que compter sa vie en chiens, ça la faisait paraître plus courte : deux, trois, quatre chiens, même cinq, ça ne donne pas l'impression qu'il vous en reste pour très longtemps !

Il comprenait mieux pourquoi Fernand faisait un peu peur aux gens avec sa manière de voir les choses. Si Fernand avait compté sa vie en canaris ou en poissons rouges, aurait-il eu plus d'amis ?

Avec sa solitude et son air bizarre, Fernand avait mis le doigt sur un vrai problème à propos du temps. Plein de poètes, d'ailleurs, en avaient parlé depuis toujours, et Sabine aussi.

Les années qui s'envolent, *la fuite du temps*, et le temps qui passe trop vite.

Hector et le petit garçon
qui voulait accélérer le temps

De temps en temps des enfants aussi venaient voir Hector, et là, bien sûr, c'étaient les parents qui avaient décidé.

Les enfants qui venaient voir Hector n'étaient pas vraiment malades, c'étaient plutôt leurs parents qui les trouvaient difficiles à comprendre, ou alors il s'agissait d'enfants trop tristes, trop peureux ou trop agités. Un jour, il discutait avec un petit garçon qui s'appelait, c'était amusant, Hector, comme lui. Petit Hector s'ennuyait beaucoup à l'école, le temps lui paraissait passer trop lentement. Alors il n'écoutait pas, et après il avait des mauvaises notes.

Grand Hector demanda à Petit Hector :

— Aujourd'hui, qu'est-ce que tu souhaiterais le plus au monde ?

Petit Hector ne réfléchit pas une seconde :

— Devenir tout de suite une grande personne !

Hector était surpris. Il s'attendait à ce que Petit Hector lui réponde : « Que mes parents reviennent ensemble », ou « avoir de meilleures notes », ou « pouvoir partir en classe de neige avec mes copains ».

Il demanda donc à Petit Hector pourquoi il voulait devenir tout de suite une grande personne.

— Pour décider ! dit Petit Hector.

S'il était tout de suite devenu une grande personne, expliqua Petit Hector, il aurait pu décider lui-même à quelle heure se coucher, quand se réveiller, où il pouvait aller en vacances, les copains qu'il voulait voir, s'amuser comme il voulait, ne pas voir les grandes personnes qu'il ne voulait pas voir (comme la nouvelle amie de son papa). Il aurait eu aussi un vrai métier, car aller à l'école, ce n'était pas un vrai métier. En plus, on ne l'avait pas choisi, et on passait des heures, des jours, des années à voir le temps passer lentement et à s'ennuyer.

Hector pensa que Petit Hector se faisait des idées sur la vie de grande personne : on était quand même obligé de faire des choses qu'on n'aimait pas faire, de voir des gens qu'on n'aimait pas voir. Mais il ne le dit pas à Petit Hector, car il pensait que, pour l'instant, c'était une bonne chose que Petit Hector rêve à un futur heureux, car son présent ne l'était pas tellement.

Alors il demanda à Petit Hector :

— Mais, si tu devenais tout de suite une grande personne, cela voudrait dire que tu as déjà vécu pas mal d'années, et donc qu'il t'en reste moins à vivre. Ça ne t'ennuierais pas ?

Petit Hector réfléchit :

— D'accord, c'est un peu comme dans un jeu vidéo quand on a une « vie » supplémentaire de moins. C'est ennuyeux, mais ça n'empêche pas de s'amuser !

Et puis, il regarda Hector :

— Et vous, ça vous ennuie d'avoir déjà une ou deux vie de moins ?

Grand Hector se dit que Petit Hector deviendrait peut-être psychiatre un jour.

Hector réfléchit

À la fin des ses journées, Hector pensait à tous les gens qu'il avait écoutés et qui se faisaient du souci à propos du temps.

Il pensait à Sabine, qui aurait voulu ralentir le temps.

Il pensait à Fernand, qui comptait sa vie en chiens.

Il pensait à Petit Hector, qui aurait voulu accélérer le temps.

Et à beaucoup d'autres…

Hector passait de plus en plus de temps à penser au temps.

Hector est consciencieux

Hector s'aperçut que, s'il leur demandait, presque tous les gens qu'il voyait avaient deux sortes de soucis.

Tantôt la peur du temps qui passait trop vite, ce qui est une peur assez pénible, parce que vous ne pouvez pas grand-chose contre la vitesse du temps, c'est comme être sur un cheval qui galope sans vous écouter, et c'était d'ailleurs déjà arrivé à Hector et ça lui avait fait rudement peur.

Tantôt l'impression que le temps passait trop lentement, et là, c'était comme être assis sur un âne qui ne veut pas avancer. C'étaient surtout les jeunes, il faut le dire, qui racontaient ça à Hector, ou alors les gens très malheureux qui attendaient que ça aille mieux, et chaque journée leur paraissait durer des semaines.

Hector pensa que pour aider les gens tracassés par le temps, il pourrait leur proposer de petits exercices pour les faire réfléchir. Parce que, quand vous êtes psychiatre, vous pouvez bien sûr dire aux gens ce qu'il faudrait qu'ils fassent pour aller mieux, mais alors, ils risquent de ne pas vous écouter tant que ça. Le mieux, c'est de les aider à trouver eux-mêmes ce qui leur ferait du bien. Leur donner des petits exercices qui font réfléchir était une méthode qu'aimaient bien Hector et pas mal de ses collègues.

Hector prit son carnet et se prépara à noter. D'abord, il pensa à Fernand, et il écrivit :

Exercice de temps nº 1 : Comptez votre vie en chiens.

C'était peut-être un bon exercice pour comprendre qu'il valait mieux ne pas trop attendre pour faire les choses dont on avait envie. D'un autre côté, ça pouvait angoisser encore plus sur le temps qui passait et surtout celui qui vous restait. Était-ce un si bon exercice, finalement ? Hector se souvenait d'avoir appris à l'école que certains philosophes pensaient que la bonne vie, c'était celle dont on pensait tous les jours qu'elle allait finir un jour, justement. Il y avait même un philosophe qui faisait jouer de la musique tous les soirs au moment de se coucher. Des chanteurs venaient au pied de son lit pour chanter : « Il a vécu ! », comme si c'était chaque fois son enterrement. Mais Hector le savait, il y a des gens un peu fous, même chez les philosophes (et ne le répétez pas, même chez les psychiatres).

Hector pensa à Petit Hector.

Exercice de temps nº 2 : Faites la liste de ce que vous vouliez faire quand vous étiez petit et que vous rêviez d'être une grande personne.

Là encore, ça pouvait aider à se dépêcher de faire ce dont vous aviez envie. Mais ça pouvait aussi vous décourager en vous faisant penser que c'était trop tard. Hector aurait bien aimé trouver un exercice qui marche à tous les coups.

Hector pensa à Sabine, et il écrivit :

Exercice de temps nº 3 : Dans une journée, comptez

le temps que vous avez pour vous. Dormir ne compte pas (sauf si c'est au bureau).

Il était encore bien difficile de prévoir le résultat de cet exercice. Certaines personnes s'apercevraient qu'elles n'avaient pas une minute pour elles, qu'elles dépensaient tout leur temps pour les autres – il pensait à Sabine –, et d'autres s'apercevraient qu'elles n'avaient rien d'autre à faire que de s'amuser ou de penser à elles. Mais Hector avait déjà remarqué que ça ne rendait pas toujours heureux ces gens-là. Certains voulaient même se suicider !

Avec ses trois exercices, Hector sentait bien que sa liste était un peu courte. Peut-être, s'il continuait à écouter les gens qui venaient le voir, ça lui donnerait d'autres idées ?

Et si ça ne suffisait pas ? Il serait toujours temps d'y penser plus tard.

Hector et le monsieur qui voulait remonter le temps

« Tiens, pensait Hector, je sens qu'une nouvelle idée va arriver. » Il écoutait Hubert, un monsieur qui travaillait beaucoup dans la recherche, comme on dit. Hubert était astronome : il regardait et écoutait les étoiles avec des appareils tellement chers qu'on se mettait à plusieurs pays du monde pour se les payer. Et ensuite, Hubert et ses collègues faisaient des calculs très compliqués pour savoir comment le monde avait commencé, il y a très longtemps. Ils se posaient même des questions sur ce qu'il y avait avant le commencement du monde, et même si le temps existait déjà.

Hubert avait fait une grosse dépression le jour où il s'était aperçu qu'à force de s'intéresser tout le temps aux étoiles, il n'avait pas fait assez attention à sa femme, et elle était partie avec un monsieur qui ne fichait pas grand-chose dans la vie, mais qui était assez rigolo. Hector avait aidé Hubert à comprendre qu'il ne fallait pas trop revenir sur le passé. (C'était un peu comme pour l'histoire du commencement du monde : Hubert passait son temps à essayer de comprendre quand l'histoire entre sa femme et le monsieur avait commencé.) Hector expliquait à Hubert que savoir de qui c'était la faute, ça n'était pas si important. Il valait mieux qu'Hubert se tourne vers l'avenir, et essaie de mieux s'occuper de la prochaine femme sympathique qu'il rencontrerait, même si ça retardait un peu la dernière bonne explication sur le commencement du monde.

Mais Hubert continuait :

— J'aimerais pouvoir remonter dans le temps, revenir à l'époque où elle m'aimait encore.

Quand Hubert disait « à l'époque où elle m'aimait », il ne pouvait s'empêcher d'avoir les larmes aux yeux, c'était très triste.

— Maintenant, je saurais l'aimer, je ferais attention, je ne recommencerais pas les mêmes erreurs. Si seulement je pouvais revenir en arrière…

Et pourtant, avec les études très compliquées qu'il faisait sur les étoiles, Hubert était bien placé pour savoir qu'on ne peut pas remonter le temps – ou alors ça ficherait en l'air toute notre explication sur le monde et comment il fonctionne. Malgré tout, il n'arrêtait pas d'y penser.

— De toute façon, à notre âge, Docteur, on est bien obligé de faire des bilans.

Hector sursauta : il pensait qu'il était beaucoup plus jeune qu'Hubert. Il ne dit rien, mais après il vérifia la date de naissance d'Hubert. Eh oui, Hector était plus jeune, mais finalement pas tant que ça.

Hector était un peu déçu. La seule idée que venait de lui donner Hubert était qu'il n'était plus tout à fait un jeune psychiatre, et ça, de toute façon, il le savait déjà. Seulement, il venait de le sentir, et comme les psychiatres le savent bien, entre savoir et sentir, c'est sentir qui est important.

Finalement, Hubert donna quand même une autre idée à Hector :

Exercice de temps n° 4 : Pensez à toutes les personnes et à toutes les choses auxquelles vous ne faites pas assez attention au présent, parce qu'un jour elles seront du passé, et donc ce sera trop tard.

Hector et la dame qui voulait
rester jeune

Juste après le départ d'Hubert, Hector reçut Marie-Agnès, une jeune femme assez charmante qui avait tendance à changer d'amis dès qu'ils devenaient un peu trop amoureux d'elle. Du coup, Hector avait duré plus longtemps avec elle comme psychiatre que tous ses bons amis d'avant. Quand vous êtes psychiatre, vous ne devez pas tomber amoureux de vos patientes, même quand elles seraient assez votre genre. Maintenant, Marie-Agnès commençait à s'apercevoir que toutes ses bonnes amies étaient mariées, et que la plupart des hommes qu'elle trouvait intéressants l'étaient aussi, mariés.

— Quand je pense à tous les hommes très bien que j'ai laissé tomber quand j'étais plus jeune…

— Ce n'étaient peut-être pas les bons pour vous, dit Hector.

— Oh si. D'ailleurs, quand je vois ce qu'ils sont devenus, je me dis que j'ai été sacrément gourde de ne pas les garder.

— Les garder tous ?

— Mais non ! Juste un.

— Cette expérience ne va-t-elle pas vous servir pour l'avenir ? demanda Hector.

— L'avenir ? Mais, à mon âge, j'ai beaucoup moins de choix. Moi, je crois que mon avenir sera toujours moins bien que mon passé.

— Si vous voulez vivre votre avenir de la même manière que vous avez vécu votre passé, peut-être, dit Hector.

— Vous voulez dire qu'on ne peut pas continuer à vivre à 39 ans comme à 20 ?

— À votre avis ? demanda Hector.

— Ah, et pourtant, 20 ans, c'est la plus belle période de la vie, dit Marie-Agnès.

Hector pensait que ce n'était pas vrai pour tout le monde, mais sans doute pour Marie-Agnès.

— Être insouciante, pouvoir choisir les garçons qu'on veut, vivre libre, ne pas penser au temps qui passe, avoir l'impression que la vie devant soi est infinie… Comme j'aimerais revenir en arrière !

— Vous disiez que vous en profiteriez pour vous choisir vite un bon mari, dit Hector.

— Bon, là, je me contredis. Peut-être que je recommencerais exactement pareil.

— Alors, pourquoi regretter ? demanda Hector.

— Pour cette sensation que la vie devant moi était infinie… parce que, maintenant, je ne l'ai plus cette sensation, dit Marie-Agnès.

Hector avait lu des études là-dessus : il y a un moment où la vie devant vous vous apparaît comme un rouleau de tissu infini, dans lequel vous allez pouvoir vous tailler toutes sortes de costumes. Et puis il vient un moment où vous vous rendez compte que le rouleau a une fin et qu'il va falloir faire de bons calculs pour arriver à vous refaire une seule garde-robe. (Remarquez, vous le saviez depuis le début, que le rouleau a une fin, mais, là encore, entre savoir et sentir, c'est différent, et c'est sentir qui compte.) Selon les personnes, cette sensation que le rouleau avait une fin leur arrivait entre deux chiens et demi et trois. Les psychiatres appelaient ça la crise du milieu de vie, et cette crise leur donnait beaucoup de travail.

— Tiens, Docteur, vous pourriez me faire une ordonnance pour mes vitamines ?

Hector se souvint que Marie-Agnès, si elle ne pouvait pas ralentir le temps, essayait en tout cas de ralentir son effet sur elle. Il ne manquait pas de trucs très bien à essayer : suppléments vitaminés et suppléments de suppléments de toutes les couleurs qu'elle commandait sur Internet, de la gym trois fois par semaine avec beaucoup d'aérobic. Et c'est vrai qu'elle était toujours rudement bien balancée, remarquait parfois Hector. Et puis, bien sûr, des légumes et des fruits au moins quatre fois par jour (ça faisait plaisir à la maman de Marie-Agnès, qui n'arrivait jamais à lui faire manger des légumes quand elle était petite), plus du tout de cigarettes, pas tellement de vin, et seulement des bonnes matières grasses, c'est-à-dire pas celles qui viennent des vaches et des cochons, une raison de plus pour ne pas manger ces animaux sympathiques.

Surtout, Marie-Agnès évitait de se faire bronzer, parce qu'elle savait que ça fait vieillir la peau, et elle utilisait au moins trois sortes de crèmes différentes pour son visage selon que c'était le matin, le soir ou dans la journée, et la crème du soir s'appelait « anti-âge ».

Hector pensait que tout ça était très bon pour sa santé et faisait paraître Marie-Agnès plus jeune plus longtemps, mais ça n'empêchait pas le temps de passer.

D'ailleurs, parfois, Marie-Agnès devait penser la même chose, car un jour elle dit à Hector :

— Quand je me vois en train de sautiller dans le miroir de la salle de gym ou que je me retrouve devant toutes mes crèmes, parfois je me demande à quoi ça rime. Pourquoi ne pas enfin se laisser aller… Se moquer de tout ça. Au fond, c'est un esclavage.

Esclave du désir de rester jeune : Hector trouva que c'était une bien belle formule, mais il savait que Marie-Agnès resterait encore pas mal de temps esclave, parce que le regard des hommes était une chose encore très importante pour elle.

Quand Marie-Agnès fut partie, il se regarda comme elle dans la glace au-dessus de la cheminée et s'aperçut que, pas de doute, pour la première fois de sa vie, il avait quelques cheveux blancs nettement visibles un peu au-dessus des oreilles.

Donc, il n'était plus tout à fait un jeune psychiatre.

Finalement, comme toutes les fois qu'il avait un sujet important en tête, Hector eut envie d'en parler à son amie Clara.

Mais il prit du temps pour noter :

Exercice de temps n° 5 : Imaginez votre vie comme un grand rouleau de tissu dans lequel on a taillé tous les vêtements que vous avez portés depuis que vous êtes petit. Imaginez la garde-robe que vous pouvez encore tailler dans la suite du rouleau.

Hector aime Clara, Clara aime Hector

Hector et Clara, c'était une longue histoire, même s'ils étaient tous les deux encore assez jeunes. On va essayer de vous expliquer, mais, comme pour toutes les histoires d'amour, ce n'est pas toujours facile à comprendre, même pour ceux qui sont dans l'histoire.

Clara et Hector s'étaient connus dans un grand congrès pour psychiatres, organisé par un grand laboratoire qui fabriquait des médicaments et pour lequel Clara travaillait trop. Hector était allé poser à Clara des questions sérieuses sur les médicaments. Clara lui avait bien répondu sérieusement. Alors juste après, Hector l'avait fait rire, et puis après, il l'avait appelée au téléphone, et puis après encore, ils s'étaient aperçus qu'ils étaient tous les deux amoureux.

Et maintenant, Clara et Hector vivaient ensemble.

Clara et Hector pensaient parfois à se marier ou à faire un bébé, mais en général ils n'y pensaient jamais en même temps. Parfois, Hector partait en voyage, et là, il faut l'avouer, il lui était arrivé de faire des bêtises. Et pendant quelque temps, il n'avait pas très bien su où il en était. De son côté, Clara s'était demandé si Hector et elle arriveraient jamais à se marier. Et parfois, elle non plus n'avait plus très bien su où elle en était.

Mais, à ce moment de l'histoire, Clara et Hector vivaient ensemble et commençaient (une fois de plus) à penser à se marier et à faire un bébé.

Vont-ils y arriver à la fin ? C'est ce que vous saurez si vous lisez ce livre jusqu'au bout.

Un jour, Hector parla à Clara de ce qu'il avait remarqué : presque personne n'était content du temps. Et il lui parla aussi de cette impression, d'après certaines réflexions de ses patients, qu'il n'était plus tout à fait un jeune psychiatre.

Alors Clara lui dit :

— Ah, vous les hommes, vous êtes décidément toujours un peu en retard !

Et elle expliqua à Hector que, pour les femmes, l'impression de n'être plus tout à fait jeune arrivait bien plus tôt que pour les hommes.

— Comment s'en aperçoivent-elles ? demanda Hector.

— L'arrivée de la concurrence, dit Clara.

Hector ne comprit pas du premier coup ce que Clara voulait dire, ce qui prouve que les psychiatres ne sont pas toujours si malins. Clara continua :

— Et puis nous, les femmes, on le sent bien mieux, le temps qui passe. Longtemps, quand on est jeune, on se dit que la vie va vraiment commencer un peu plus tard, et puis un jour, on s'aperçoit que ce « plus tard », c'est déjà le passé. En général, c'est le moment où on commence à se voir des petites rides que les autres ne remarquent pas. Parfois, je me dis qu'à force de me dire « plus tard », un jour je m'apercevrai que c'est « trop tard ». Comme pour faire un bébé, par exemple…

Et Clara regarda Hector, et Hector regarda Clara.

Tout cela montrait que, même si Clara avait l'air d'une fille assez optimiste, elle avait quand même des moments de réflexion assez profonds. Ça, Hector le savait bien, et c'était une des raisons pour lesquelles il aimait Clara.

Hector se dit une fois de plus que le temps qui passe, même si tout le monde n'en parle pas, tout le monde y pense.

Sauf les bébés, peut-être. Mais là encore, allez savoir.

Hector fait un rêve

La nuit suivante, Hector fit un rêve.

Il était dans un compartiment de train comme ceux de son enfance, avec un grand couloir et des fenêtres qu'on pouvait ouvrir avec une manivelle. Lui-même était une grande personne comme le Hector d'aujourd'hui. Il était seul et se sentait un peu inquiet. Dehors défilait un paysage de campagne dans un beau soleil de fin d'après-midi, mais c'était étrange, c'était la campagne comme quand Hector était enfant : on voyait encore des bleuets et des coquelicots dans les champs, de grandes haies avec des mûres et des framboises où se cachaient les oiseaux et les lapins, des étangs où des enfants pêchaient en revenant de l'école, avec leurs vélos couchés dans l'herbe et, le long des chemins, des vaches et des moutons que l'on rentrait pour le soir. Même le ciel avait l'air différent, d'un bleu plus tendre, et les nuages d'un blanc plus pur. Hector était ému par cette vision et il voulut la partager avec quelqu'un – peut-être y avait-il un de ses amis assis dans le train. Il sortit dans le couloir du wagon, mais il ne trouva personne, et tous les autres compartiments du wagon étaient vides.

Un peu inquiet, il passa dans l'autre wagon, mais toujours personne. Il continua à remonter le train en se disant qu'il devait bien y avoir quelqu'un dans la locomotive.

En marchant, Hector s'aperçut de quelque chose de bizarre : plus il marchait vite dans le couloir, plus le train ralentissait et plus la campagne défilait lentement. Il eut même le temps d'apercevoir une jolie fermière qui rassemblait de gentils moutons dans le soleil couchant. Si Hector arrêtait complètement de marcher pour mieux regarder, le train reprenait de la vitesse, ce qui était un peu énervant. Alors, il se mit à courir, pour forcer le train à ralentir encore plus. Il courut tellement vite que le train finit par s'arrêter complètement. Mais ce n'était pas une si bonne chose : Hector s'aperçut que le paysage au-dehors était devenu un désert de glace et de neige, comme si le train était arrivé au pôle Nord. Il s'arrêta de courir pour que le train démarre à nouveau et s'éloigne de ce lieu glacial et désolé.

Mais le train ne repartit pas.

La glace commença à monter le long des vitres.

Très loin, au bout du train, Hector entendit une porte claquer, et comprit que quelqu'un ou quelque chose venait de monter dans le train. Des pas, très lourds, très lents, se rapprochaient du wagon dans lequel il se trouvait.

Hector avait une envie terrible de sortir du train, mais voilà, il ne trouvait pas de porte qui s'ouvrait sur le dehors ! Il voulut ouvrir une des fenêtres du wagon, mais toutes celles qu'il essayait étaient bloquées par la glace au-dehors.

Hector commença à souhaiter dans son rêve de se

réveiller tout de suite, en même temps que les pas se rapprochaient lentement de son wagon.

Peu à peu le train se remit à avancer, puis à rouler de plus en plus vite, et à nouveau la jolie campagne apparut. Cette fois Hector ne voyait plus personne, comme si tout le monde, vaches et moutons compris, était rentré se coucher en même temps que le soleil. Il aperçut juste un gros chien esquimau à l'air joyeux qui courait sur un chemin.

Hector continua de contempler la campagne dans le soleil couchant. Soudain, il n'eut plus peur du tout des pas qui se rapprochaient de son wagon.

La porte du compartiment s'ouvrit, et Hector vit apparaître un jeune moine. Attention, pas un moine du pays d'Hector, plutôt un moine comme en Chine, avec le crâne rasé et habillé avec une sorte de grande couverture orange qui lui laissait une épaule nue.

Le moine était jeune, mais c'était bizarre, Hector savait qu'en fait c'était un très vieux moine qu'il avait déjà rencontré dans sa vie. Pourtant, dans le rêve il lui paraissait tout naturel que le moine fût très jeune.

— Alors, dit le vieux moine-qui-était-très-jeune, comment ça va chez vous ?

Là, Hector se réveilla.

Clara dormait à ses côtés. Il prit son petit carnet et sa lampe stylo qui lui permettait d'écrire sans réveiller personne, et il nota son rêve. Hector n'avait pas l'habitude de noter tous ses rêves, mais il sentait que celui-là, il était important.

Hector va parler au vieux François

Hector avait envie de parler de son rêve à quelqu'un, pour mieux comprendre ce qu'il voulait dire. Il pensa d'abord à Clara, qui parfois avait de très bonnes idées, mais il se dit que son rêve était un peu étrange et risquait d'inquiéter Clara. De plus, depuis leur dernière conversation, il trouvait que Clara était assez triste. De temps en temps, elle se regardait dans la glace d'un air encore plus triste.

Il avait remarqué sur la tablette de la salle de bains un très beau petit pot bleu et blanc. Dessus, on lisait : « crème anti-âge ». Il avait dit à Clara qu'elle lui paraissait bien jeune pour se mettre de la crème anti-âge, mais Clara lui avait dit de s'occuper de ses affaires. Ce n'était donc peut-être pas une bonne idée de lui raconter son rêve, car il se doutait bien que ça parlait du temps qui passe.

Alors il pensa à un vieux collègue psychiatre, presque aussi vieux que son grand-père, qui se nommait François et qui portait toujours un nœud papillon. Hector se dit que François avait dû entendre beaucoup de gens lui raconter leurs rêves, dans sa vie de psychiatre. Il aurait sans doute de bonnes idées à propos du sien.

Le vieux François travaillait dans une grande pièce comme un vieux salon rempli de meubles anciens et de tableaux. Lui-même avait l'air de l'ancien temps avec son nœud papillon, mais Hector savait qu'il avait des idées assez modernes.

Alors, il lui raconta son rêve. Et il lui demanda ce qu'il en pensait.

Le vieux François réfléchit. Et puis il dit :

— Le problème avec les rêves, c'est qu'on ne sait jamais si c'est juste le cerveau qui mouline n'importe quoi avec des bouts de souvenirs pour s'occuper un peu ou si, au contraire, il travaille à fabriquer une histoire qui a vraiment du sens.

Hector était étonné, il se souvenait que le vieux François avait appris la psychiatrie à une époque où les psychiatres accordaient beaucoup d'importance aux rêves.

Le vieux François vit qu'Hector était un peu déçu. Alors il dit :

— Bien sûr, à une époque, on pensait que le train, dans un rêve, c'était un symbole sexuel. L'envie d'avoir des rapports sexuels, ou la peur d'en avoir, ce genre de choses. Mais bon, cette idée date de l'époque où il était mal vu d'en avoir, de toute façon, des rapports sexuels. Alors que maintenant, c'est le contraire…

Le vieux François n'avait pas l'air d'y croire beaucoup, à ces vieilles histoires de rapports sexuels.

— Tiens, dit-il, votre rêve, ça me rappelle ce que j'avais appris au lycée. Sur le temps. Quand vous êtes dans un train et que vous lancez une balle, quelqu'un qui se repose dans un pré la voit se déplacer beaucoup plus vite que vous, puisque pour lui la vitesse du train s'ajoute à celle de la balle. C'est la même chose pour la lumière si vous envoyez un rayon de lumière dans le sens du train. Mais comme la lumière va toujours à la même vitesse d'où qu'on la regarde, ça veut dire que la vitesse... non, le temps... n'est pas la même pour vous... non, pour lui... Zut ! Je ne me souviens plus très bien. À la fin, ça débouche même sur une histoire de relativité, vous savez le truc d'Einstein, le temps n'est pas le même selon la vitesse à laquelle on se déplace.

Hector se souvenait vaguement aussi. Ça lui rappelait ce qu'on dit à propos du professeur et de ses élèves : les élèves écoutent la moitié de ce que dit le professeur, ils comprennent la moitié de ce qu'ils ont écouté, ils retiennent la moitié de ce qu'ils ont compris, et ils se servent de la moitié de ce qu'ils ont retenu, c'est-à-dire pas grand-chose, à la fin. Hector voyait souvent des dames professeurs et des messieurs professeurs dans son bureau ; et souvent, ils étaient tristes en pensant qu'ils ne servaient à rien. Hector essayait de leur faire changer d'avis par eux-mêmes. Là, il se dit qu'il ne leur raconterait pas ce dont le vieux François et lui arrivaient à se souvenir à propos de la relativité.

Mais le vieux François continuait :

— À mon avis, votre rêve c'est une histoire de temps. Plus précisément de lutte contre le temps qui passe. Le train, c'est le temps, dont on ne peut pas sortir, qu'on ne peut ralentir... hélas, on connaît bien le terminus.

Le vieux François resta silencieux, et Hector sentit qu'il y pensait, au terminus.

— Et le vieux-moine-qui-était-très-jeune ? demanda Hector, histoire que le vieux François arrête de penser au terminus.

— Je ne sais pas, dit le vieux François. On peut dire que c'est pour vous une présence rassurante. Mais c'est quelqu'un que vous avez rencontré, non ?

En effet, un jour où Hector était parti se promener au milieu de belles montagnes vertes, là-bas en Chine, histoire de se changer les idées, il était tombé par hasard sur un monastère chinois avec un joli toit aux coins recourbés et de petites fenêtres carrées. C'était là que le vieux moine vivait, au milieu d'autres moines plus jeunes, et tous avec une couverture orange sur une épaule et rien sur l'autre. (On aurait dit qu'ils s'entraînaient à ne pas attraper de rhume.) Hector s'était tout de suite bien entendu avec le vieux moine, qui était toujours de bonne humeur et arrivait à faire comprendre les choses sans les expliquer. Le vieux moine avait beaucoup voyagé dans sa vie, il était même allé dans le pays d'Hector quand il était tout jeune, il avait même fait la vaisselle dans un restaurant où aujourd'hui Hector allait encore de temps en temps déjeuner avec son papa. Dès leur première rencontre, Hector et le vieux moine avaient tout de suite aimé se parler. Le vieux moine avait fait comprendre deux ou trois choses à Hector sur la vie (et sans les lui expliquer) et Hector s'en était servi pour aider ses patients. Depuis, le vieux moine et lui étaient restés amis, même s'ils ne se voyaient pas très souvent.

En tout cas, Hector était d'accord avec le vieux

François : son rêve avait quelque chose à voir avec le temps, le temps qui passe. Et dans son rêve, il avait essayé de l'arrêter, comme Marie-Agnès ou Clara, mais ça n'avait pas donné de si bons résultats. Ou alors, il avait essayé de lui échapper, en sortant du train, mais il n'y était pas arrivé.

Évidemment, le mieux aurait été d'aller raconter son rêve au vieux moine mais, depuis quelque temps, quand Hector lui envoyait un message par Internet, il ne recevait plus de réponse. Il se dit que peut-être le vieux moine était arrivé au terminus, et ça le rendit triste.

Mais il essaya de ne pas l'être, car c'est justement quelque chose qu'avait essayé de lui faire comprendre le vieux moine : être triste, c'était le signe qu'on n'avait pas bien compris la vie.

Hector découvre un grand secret

C'est à cette époque qu'Hector remarqua que pas mal de ses collègues n'avaient aucun cheveu blanc, même ceux qui étaient nettement plus âgés que lui. Il se demanda si c'était un grand secret qu'il venait de trouver : les psychiatres ne vieillissent jamais. Mais tout de suite après cette extraordinaire découverte, il entendit une infirmière dire à une autre : « Le patron devrait changer de coiffeur, je trouve qu'on voit trop qu'il se teint. » Hector se souvenait qu'à l'époque où il était un petit garçon, les hommes qui se teignaient les cheveux étaient assez mal vus. On pensait que c'étaient des hommes qui aimaient les hommes – à l'époque, les gens se moquaient beaucoup et assez méchamment de cette sorte d'amour –, ou alors des hommes pas sérieux qui continuaient à vouloir conter fleurette à un âge où ils auraient mieux fait de s'occuper de leur famille et de fêter la naissance de leurs petits-enfants. Mais Hector se dit que ce temps-là était bien révolu. Aujourd'hui, des hommes tout à fait comme il faut, même des psychiatres, c'est tout dire, se teignaient les cheveux pour ne pas montrer que les premières neiges avaient commencé à blanchir leur sommet. (Si vous aimez ce genre de comparaison poétique, on essaiera d'en trouver d'autres.) Il savait que ces mêmes collègues faisaient aussi tout ce qu'ils pouvaient pour faire semblant de rester jeunes comme Marie-Agnès : souvent de la gym, pas mal de fruits et légumes, surveiller leur poids, des suppléments et des suppléments de suppléments. Mais la plupart n'utilisaient pas encore de crème pour le visage, ou alors d'une seule sorte.

D'un autre côté, le vieux François continuait de garder des cheveux d'une éclatante blancheur. Hector lui fit part de ce qu'il avait remarqué de la chevelure de leurs collègues. Cela voulait dire que même les psychiatres avaient un problème avec le temps qui passe !

Le vieux François sourit :

— Ils en sont encore au stade de la lutte, dit-il. Moi, j'ai renoncé…

Et pourtant, Hector savait que le vieux François était toujours intéressé par l'amour. Il l'avait même croisé un soir à la sortie d'un restaurant en compagnie d'une femme beaucoup plus jeune que lui et qui avait l'air très amoureuse. Hector se demanda comment le vieux François arrivait à faire oublier son âge et ses cheveux blancs.

— Quand j'avais entre 40 et 50 ans, dit le vieux François, je plaisais aux jeunes filles qui avaient des problèmes non résolus avec leur père.

— Et maintenant ? demanda Hector.

— Toujours, dit le vieux François. Simplement, il faut qu'elles aient eu un père âgé. Ou alors une histoire compliquée avec leur grand-père. Bien sûr, il y en a moins.

Comme le vieux François paraissait assez en forme, Hector lui demanda si c'était le secret de son éternelle jeunesse.

— Non, dit le vieux François. Bien sûr, chaque fois qu'une histoire commence, je me sens soudain très jeune. Mais chaque fois qu'elle se termine, évidemment, il arrive toujours un moment où elles finissent par me voir tel que je suis : un vieux bonhomme qui prend des médicaments. Alors, je me sens beaucoup plus vieux…

Hector eut envie de demander : alors, pourquoi continuer ? Bien sûr, il n'osa pas poser une question pareille. Mais le vieux François devina qu'il se la posait.

— J'aimerais connaître la sérénité, dit le vieux François. Ou ne penser qu'à mes petits-enfants. Ou avoir la foi, bien sûr. Mais cette grâce ne m'a pas été accordée. Alors maintenant, je lis de la philosophie.

Et il montra à Hector une grande bibliothèque pleine de livres. Hector reconnut des noms d'auteurs comme Aristote, Sénèque, Épictète, saint Augustin, Pascal, Heidegger, Bergson, Kierkegaard, Nietzsche, Wittgenstein et pas mal d'autres. (Vous pouvez les recopier, ça vous évitera de faire des fautes d'orthographe.)

— Et ça aide ? demanda Hector.

— Ça fait passer le temps ! dit le vieux François en rigolant. Si vous voulez, je vous ferai de petits résumés… enfin, à ma manière.

Hector trouva que c'était une très bonne idée, parce que rien que l'idée de lire tous ces livres lui-même le fatiguait un peu, et il était sûr que le vieux François aurait des choses intéressantes à dire sur les philosophes.

Mais quand même, il voulut en savoir un peu plus tout de suite.

— En général, quelles sont les questions qu'ils se posent, les philosophes ?

— D'abord, ils essaient de définir le temps. Et ce n'est pas facile, parce que le temps, on ne peut pas le voir, on ne peut pas le toucher. En même temps, on ne peut pas en sortir. « Si on ne me demande pas ce qu'est le temps, je le sais, mais si on me le demande, je ne le sais pas. » Ça, c'est saint Augustin.

— C'est bien vrai, dit Hector.

— D'ailleurs, Pascal, un philosophe qui a aussi inventé la première machine à calculer, dit qu'il ne sert à rien de définir le temps, puisque tout homme sait bien de quoi on parle, et que si on essaie de le définir, on finit toujours par tourner en rond dans la définition.

— Je serais assez d'accord, dit Hector.

— Bon, il y a quand même une définition que j'aime bien : « Le temps, c'est le nombre du mouvement selon l'antérieur-postérieur. » C'est d'Aristote.

— Pardon ? dit Hector.

Il commençait à trouver la philosophie un peu compliquée.

— Mais si, c'est très simple. Il faut juste définir « nombre ». En fait, Aristote distingue ce qui mesure le temps, le « nombrant » si vous voulez, comme les secondes que mesure votre montre, et elles sont toutes pareilles. Mais il y a aussi ce qui est mesuré, ce qui vous arrive dans la vie, et ça, Aristote l'appelle le « nombré », les secondes de votre vie. Vous serez d'accord pour dire que les secondes sur votre montre, le nombrant, elles sont toutes pareilles. Une seconde c'est toujours la même qu'une autre seconde. Mais du côté du nombré, les secondes de votre vie, une seconde de bonheur, une seconde de malheur, une seconde d'ennui, ça n'est jamais pareil…

À ce moment, le téléphone sonna sur le bureau. C'était la secrétaire.

— Zut, dit le vieux François, j'ai oublié un patient dans la salle d'attente !

En sortant du bureau du vieux François, Hector eut plusieurs nouvelles idées et prit vite son petit carnet pour noter :

Exercice de temps nº 6 : Écrivez tout ce qui vous fait vous sentir plus jeune. Écrivez ensuite tout ce qui vous fait vous sentir plus vieux.

Pour le vieux François, Hector se dit que la réponse était la même aux deux questions : l'amour. Puis, il se souvint aussi de ce qu'il avait dit sur la foi : « Cette grâce ne m'a pas été accordée. » C'était curieux. En général, c'était le Bon Dieu qui accordait les grâces. Donc, c'était comme si le vieux François pensait qu'il y avait un Dieu qui ne lui avait pas donné la grâce de croire en Lui !

Exercice de temps nº 7 : Si vous ne croyez pas au Bon Dieu, imaginez que vous y croyez. Si vous y croyez, imaginez que vous n'y croyez plus. Observez l'effet sur votre vision du temps qui passe.

Et puis, Hector se dit que même si les philosophes avaient du mal à définir le temps, ça n'empêchait pas d'essayer, parce que même si on ne trouvait pas, ça forçait à réfléchir.

Exercice de temps n° 8 : Faites un jeu avec des amis. Essayez de trouver une définition du temps. Premier prix : une montre.

Hector sentait bien que tous ces petits exercices tournaient autour de la question : mieux vaut-il lutter avec le temps, pour le ralentir en essayant de faire comme si on était toujours jeune, faire comme s'il ne passait pas, ou au contraire accepter qu'il passe, qu'on n'y pouvait rien et qu'il valait mieux penser à autre chose ? Ou un peu tout à la fois ? Vaut-il mieux vivre comme si on devait vivre toujours, ou en pensant qu'on pouvait mourir demain et en tout cas dans pas si longtemps ?

De plus en plus, il sentait que s'il trouvait des réponses à ces questions, cela aiderait beaucoup de gens, presque autant que la crème anti-âge et les suppléments de suppléments.

Comme toutes les fois qu'il commençait à réfléchir sans trouver de solution, Hector avait toujours la même envie : partir en voyage.

Très bien, se dit Hector, mais par où commencer ?

Hector et le vieux moine

Le lendemain, dans son bureau, Hector prit son journal pour le lire tranquillement, parce qu'un de ses patients avait annulé son rendez-vous. (Quand vous êtes psychiatre et qu'un patient annule un rendez-vous, c'est un peu comme quand vous allez au lycée et qu'on vous annonce que le professeur est malade : ça vous fait une récréation.)

Soudain, Hector sursauta. Que venait-il de voir en photo en première page du journal ? Le vieux moine en train de rigoler avec sa couverture orange sur l'épaule ! En une seconde, Hector fut très content : si on parlait du vieux moine en première page avec sa photo en train de rigoler, c'est donc qu'il devait être encore vivant ! Ensuite, il lut l'article.

Le vieux moine avait disparu, et tout le monde se disputait.

Des gens de différents pays du monde accusaient la Chine de l'avoir fait disparaître, parce que le vieux moine autrefois avait déjà eu des problèmes avec les gens qui dirigeaient la Chine. Il ne pensait pas comme eux. Du coup, il avait passé pas mal de temps dans des prisons assez froides pour apprendre à penser juste, c'est-à-dire exactement comme les gens qui dirigeaient la Chine à ce moment-là. Mais, comme il n'y arrivait pas – il n'avait pas fait beaucoup d'efforts –, on l'avait gardé enfermé de nombreuses années. Mais ça faisait longtemps tout ça, la Chine avait quand même changé depuis, et les gens importants aujourd'hui en Chine disaient que si le vieux moine avait disparu, ils n'y étaient pour rien. Les autres pays qui disaient que c'était la faute de la Chine, c'étaient eux qui y étaient peut-être pour quelque chose ! Du coup, ça faisait une grosse dispute entre les pays du monde ; des gens importants se disaient des choses pas gentilles dans des grandes réunions avec des micros, et c'était assez amusant de regarder la photo du vieux moine en train de rigoler comme s'il venait de jouer un bon tour à tout le monde. Bien sûr, Hector pensa tout de suite à une seule chose : retrouver le vieux moine. Tout d'abord parce qu'il était inquiet. Il voulait savoir ce qui lui était arrivé, le vieux moine avait peut-être besoin qu'on l'aide. Ensuite, parce que Hector se disait que le vieux moine, avec toute sa sagesse et son expérience, aurait sûrement quelque chose de très important à lui dire sur le temps qui passe. Alors, il envoya un message par Internet à un de ses amis qui connaissait aussi le vieux moine : Édouard.

Hector et Édouard sont deux bons copains

Hector connaissait Édouard depuis l'école, et il se souvenait qu'Édouard avait toujours été très pressé. En classe déjà, il finissait ses devoirs avant tout le monde, et comme il avait de bonnes notes, ça énervait un peu les autres élèves, et même parfois les professeurs qui lui disaient : « Édouard, arrêtez de décourager vos camarades. » Plus tard, Édouard avait fait une école pour devenir ingénieur et construire des ponts ou lancer des fusées, mais finalement il n'avait pas fait ingénieur, il s'était mis à travailler dans une banque. Un jour, Hector lui avait demandé pourquoi il avait choisi ce travail, parce que les ponts ou les fusées, ça lui paraissait plus intéressant.

— J'ai pas envie d'attendre, avait dit Édouard. Autant devenir riche le plus vite possible. Après, j'aurai du temps pour savoir quoi faire.

Édouard faisait des calculs compliqués sur l'argent, par exemple s'il fallait acheter ou non des morceaux de grandes entreprises. Grâce à ses calculs, il faisait gagner beaucoup d'argent à des gens déjà riches, et lui en gagnait aussi pas mal. En plus, Édouard changeait souvent de travail, car il s'ennuyait assez vite quand il restait trop longtemps dans la même banque ou dans le même pays. Avec ses bonnes amies, c'était un peu pareil. Mais, une ou deux fois, il s'était fait très très mal, car parfois, c'est après avoir quitté une personne que vous vous apercevez que vous l'aimiez vraiment. Mais là c'est trop tard, et les nuits sont bien longues, même si vous êtes pressé que le jour se lève pour l'appeler. Édouard avait quand même pris le temps de se marier et de faire deux enfants, mais il avait divorcé aussi. Et maintenant, il les voyait seulement de temps en temps.

La dernière fois qu'Hector et Édouard s'étaient rencontrés, c'était en Chine, justement, là où ils avaient connu tous les deux le vieux moine. Ou plutôt, quand Hector avait rencontré le vieux moine, il l'avait fait connaître à Édouard, car le plus beau cadeau que l'on puisse faire à quelqu'un, c'est une rencontre. Et Édouard était souvent allé voir le vieux moine dans son monastère pour discuter avec lui.

Quelque temps après, même l'argent avait fini par ennuyer Édouard. Il s'était aperçu qu'il se trouvait assez riche comme ça et que maintenant il avait envie de faire des choses utiles pour les gens. Il s'était mis à travailler pour une grande organisation qui, partout dans le monde, envoyait des gens comme lui aider des gens assez pauvres (mais pas forcément malheureux). Hector était bien content, car il avait l'impression que ce nouveau travail rendrait peut-être Édouard enfin heureux. Dès qu'il avait lu l'article dans le journal, il avait envoyé un message par Internet à Édouard pour lui demander s'il n'avait pas de nouvelles d'une personne qu'ils connaissaient tous les deux. (Hector s'était appliqué à ne pas dire « vieux moine », ni à dire

son nom en chinois, car si sa disparition était si importante, il valait mieux être discret.) Édouard avait tout de
suite pigé et avait répondu :

Viens donc me voir, ami. On se parlera plus à l'aise.
Ici le temps n'a pas le même sens. Pour la première fois de
ma vie, je ne me sens plus pressé.
Et puis dans le coin, certains auraient parfois bien
besoin d'un bon psychiatre. Allez, à bientôt.

En bas du message, il y avait le nom de l'endroit
où Édouard se trouvait. C'était tellement au nord de la
Terre que le bord de presque toutes les cartes s'arrêtait
juste avant. Enfin bref, c'était le pays des Esquimaux,
ou plutôt de certains Esquimaux car, comme pour les
Indiens il y a les Iroquois, les Apaches, les Hurons, les
Mohicans, les Arapawash, les Algonquins (Petit Hector
en connaissait encore beaucoup d'autres). Il y a
plusieurs sortes d'Esquimaux, ou plutôt d'Inuits,
puisque maintenant c'est comme ça qu'il faut les
appeler, depuis que des personnes de bonne volonté
mais assez mal informées ont cru et fait croire à tout le
monde qu'« Esquimau » était un mot pas gentil.

Hector se dit que c'était un beau voyage pour
Clara et lui, utile en plus. Faire un voyage ferait peut-
être du bien à Clara, qu'il avait sentie un peu triste, ces
derniers temps.

Mais quand Clara vit sur la bonne carte qu'Hector
avait fini par trouver l'endroit où Édouard se trouvait,
elle frissonna, et elle dit que non, pas question, elle ne
voulait pas aller se geler là-bas. Hector était embêté, car

il avait décidé de toujours voyager avec Clara maintenant, pour éviter de faire des bêtises.

Il vit que Clara le regardait, et puis elle dit avec un petit sourire :

— Au moins, avec un froid pareil, je me dis que tu ne risques pas trop de faire des bêtises !

Mais le sourire de Clara était un peu triste quand même, et Hector se promit de ne plus jamais faire de bêtises.

Y parviendra-t-il ? C'est ce que vous saurez si…

Hector et les petites bulles

Le dernier avion du voyage était le plus petit de tous ceux dans lesquels Hector avait jamais voyagé : on ne pouvait pas se tenir debout pour aller aux toilettes, et d'ailleurs, il n'y avait pas de toilettes. Assis sur son siège, il pouvait aussi voir le pilote, ou plutôt le dos d'un gros anorak et d'un gros bonnet de fourrure. On pouvait presque croire que c'était un ours qui pilotait l'avion. Hector était d'ailleurs habillé pareil : il avait acheté tous les habits d'une petite liste que lui avait envoyée Édouard avec des choses un peu bizarres comme des sous-chaussettes en soie ou un anorak dans la même matière que le scaphandre des cosmonautes qui étaient allés sur la Lune, et des lunettes noires qui ressemblaient à celles que vous mettez pour nager à la piscine.

Dehors, on ne voyait rien, sinon la nuit noire et les flocons de neige quand ils venaient s'écraser contre la vitre. Hector était assis à côté du seul autre passager : un grand Américain aux mains énormes qui revenait dans ce pays du plus grand froid pour creuser des petits trous très profonds dans la glace afin de savoir comment l'air était il y a très très longtemps. Encore une histoire de temps ! pensa Hector.

— La glace contient des petites bulles d'air, expliqua le grand Américain, de l'air d'il y a des centaines de milliers d'années.

Il parlait très fort pour couvrir le bruit du moteur, et Hector avait un peu mal à l'oreille en l'écoutant. En plus, il n'avait pas compris le prénom du grand Américain et n'osait pas le demander une deuxième fois.

— Et alors, qu'est-ce qu'elles racontent toutes ces petites bulles ? demanda Hector.

— Que l'air était plus propre avant ! dit le grand Américain, et il éclata de rire.

Et puis, il se pencha pour tirer quelque chose de son sac.

— À propos de bulles, dit-il.

Hector n'en revint pas de voir ce que le grand Américain avait tiré de son sac : une bouteille de champagne !

— Je l'avais apportée pour une grande occasion, expliqua-t-il. Mais, là-bas, personne ne sait le boire. Ils aiment des trucs plus forts. Mieux vaut la boire avec vous. Vous au moins saurez l'apprécier !

Hector sentit que le grand Américain et lui allaient devenir de très bons copains, dès qu'il aurait compris son prénom. Le pilote entendit le bruit du bouchon, et il se retourna. Ce n'était pas un ours, mais une très jolie femme avec des yeux bleus comme de la glace et l'air de ne pas se laisser faire. D'ailleurs, elle cria : « On ne boit pas dans mon avion ! » Mais le grand Américain lui montra la bouteille de champagne et lui tendit un gobelet de plastique, alors elle sourit. Elle avait un très beau sourire blanc comme de la neige. Hector pensa très fort à Clara. Heureusement, la jolie pilote accepta juste qu'on lui verse un demi-gobelet, peut-être pour leur faire plaisir. Puis elle se retourna pour se concentrer sur le pilotage tout le reste du voyage.

En tout cas, Hector fut content d'avoir bu tout ce champagne avant l'atterrissage, qui n'était pas tout à fait un atterrissage : l'avion se posait sur la glace avec des patins un peu comme des skis, et ça secouait quand même pas mal avec un bruit de glissade un peu inquiétant.

— Ouf ! dit le grand Américain. Je n'arriverai jamais à m'habituer.

Hector avait fini par comprendre son prénom : Hilton. C'était amusant, comme le nom d'un hôtel. Après quelques gobelets de champagne, il avait même plaisanté en demandant à Hilton :

— Mais, Hilton, où sont passés vos amis Hyatt et Sofitel ?

Hilton n'avait ri qu'à moitié, et après, Hector s'était traité d'abruti en se disant que ce genre de plaisanteries, Hilton avait dû en entendre beaucoup depuis l'école.

La porte de l'avion s'ouvrit, et il se souvint qu'un jour, il était allé dans un pays très chaud. Quand la porte de l'avion s'était ouverte, c'était un peu comme quand on ouvre la porte du four pour voir si le rôti est assez cuit. Eh bien, là, c'était comme d'ouvrir la porte du congélateur ou même carrément de tomber dedans.

En plus, il continuait de faire nuit, et on voyait juste des lampes posées sur la glace, sans doute pour guider l'avion.

— Hector ! entendit Hector.

Il aperçut alors son grand ami Édouard, habillé comme un ours lui aussi, qui arrivait sur une motoneige en lui faisant des signes.

Plus tard, assis derrière Édouard qui accélérait à fond, Hector se dit que c'était une bonne image du temps qui passait : une motoneige qui filait dans la nuit polaire.

Hector a froid

Le camp était composé de plusieurs tentes très modernes, dans lesquelles habitaient des personnes de différents pays. Hilton et son équipe de chercheurs de bulles, la jolie pilote quand elle ne pouvait pas repartir tout de suite avec son petit avion, et aussi Édouard.

— Là-bas, au loin, c'est le village inuit, dit Édouard.

Hector distingua quelques lueurs dans la nuit. L'effet du champagne commençait à s'estomper et Hector se demandait ce qu'il était venu faire dans un froid pareil, si loin de son lit et de Clara. Chaque minute commença à lui paraître une heure. Encore une nouvelle expérience à propos du temps, pensa-t-il, mais cette fois, c'était un exercice plutôt douloureux.

Dans la tente pas très bien éclairée, Hector se sentit un peu mieux en écoutant les explications d'Édouard.

— On ne s'est pas installés trop près du village, pour ne pas perturber leur mode de vie. Mais bien sûr, on les aide, avec des visites médicales par exemple, et puis on leur permet de vendre et d'acheter, mais à des prix équitables.

— Mais qu'est-ce que tu fais ici ? demanda Hector.

— Banquier je suis, banquier je reste, dit Édouard en rigolant.

C'était le nouveau métier d'Édouard : il avait organisé un circuit de vente de fourrures, mais à des prix intéressants pour les Esquimaux. Il demandait aussi à son organisation de leur prêter de l'argent pour qu'ils puissent s'acheter eux-mêmes des motoneiges et les rembourser petit à petit.

— De toute façon, leur mode de vie va disparaître, comme celui des autres tribus. Maintenant ils veulent des motoneiges et la médecine moderne pour eux et leurs bébés, mais avec mon système, c'est progressif. Ils gardent encore leur identité de chasseurs, ils apprennent le prix des choses, ils ne se font pas avoir et ils ne deviennent pas des assistés non plus.

Édouard expliqua qu'à une certaine époque, les Blancs qui passaient par là acceptaient de vendre aux Inuits un couteau en échange d'une pile de peaux de renards aussi haute que le couteau tenu à la verticale !

— Les pauvres se sont fait tellement exploiter, dit Édouard. La seule chance qu'ils ont eue, par rapport aux Indiens, c'est que comme personne n'avait envie de s'installer dans leur coin, on ne les a jamais massacrés.

Édouard reversa un peu de café à Hector. Celui-ci se dit qu'Édouard avait bien changé : avant, à chaque rencontre, c'était toujours des vins merveilleux qu'il servait à Hector.

— Il se fait tard, dit Édouard, il est temps de nous

coucher, autrement tu seras crevé demain, et ici, la première règle, c'est de se maintenir en forme.

Hector s'aperçut qu'il ne savait plus à quel moment de la journée il était, et en regardant sa montre, il ne savait pas s'il était midi ou minuit.

Édouard lui expliqua que c'était normal, avec le décalage horaire depuis le pays d'Hector, et ensuite le voyage dans la nuit dans le petit avion.

— Bon, dit Hector, et le vieux moine ?

— Le vieux moine ? demanda Édouard d'un air étonné.

Il n'avait pas du tout pensé au vieux moine, quand Hector avait demandé des nouvelles de quelqu'un qu'ils connaissaient bien tous les deux ! Édouard avait pensé qu'Hector voulait parler d'une gentille Chinoise qu'ils avaient rencontrée là-bas en Chine. À l'époque, la gentille Chinoise était dans une assez mauvaise situation, mais Hector et Édouard avaient réussi à la tirer de là. Et maintenant, Édouard pouvait rassurer Hector : Ying Li (c'était le nom de la gentille Chinoise) allait toujours bien, elle venait même d'avoir un deuxième bébé avec un mari qui l'aimait. Que rêver de mieux pour une femme ? on vous le demande.

Hector était content d'apprendre ces bonnes nouvelles à propos de Ying Li, mais ça ne l'aidait pas beaucoup pour retrouver le vieux moine. Édouard expliqua que lui aussi avait l'habitude d'échanger des messages avec le vieux moine par Internet, mais que depuis quelque temps, il n'avait pas répondu à ses messages, ce qui ne lui arrivait jamais. Hector fut un peu triste. Et si le vieux moine était mort, après tout ?

Le lit de camp était confortable, mais dès que les lumières furent éteintes, Hector sut qu'il n'allait pas dormir à cause du café. S'il avait su que c'était le soir, il n'en aurait jamais pris ! Édouard faisait partie de cette race de gens que le café n'empêche pas de dormir (et qui peuvent boire trop de bouteilles sans jamais avoir mal à la tête).

Comme le temps recommençait à passer très, très lentement, Hector se mit à réfléchir.

Hector et le présent qui n'existe pas

En fait, Hector n'arrivait pas vraiment à réfléchir, simplement il laissait les souvenirs venir à lui, et ça remontait comme des bulles à la surface d'une grande mare remplie de champagne, de café et d'une espèce de sommeil qui n'arrivait pas à se transformer en sommeil, justement. Bizarrement, c'étaient ses années de lycée qui lui revenaient à la mémoire. Sans doute parce qu'à cette époque aussi, les minutes lui avaient paru des heures, un peu comme Petit Hector aujourd'hui. Sauf avec certains professeurs très intéressants ou rigolos, Hector s'était beaucoup ennuyé au lycée, et il se souvenait que chaque fois qu'il regardait sa montre en espérant qu'au moins dix minutes s'étaient écoulées, c'étaient seulement trois, un peu comme maintenant quand il se réveillait à moitié pour regarder les chiffres lumineux de sa montre.

Tout ça prouvait bien que la sensation du temps, ça dépendait beaucoup de ce qui vous arrivait ou de ce que vous étiez en train de faire. Si vous faisiez des choses intéressantes, il passait plus vite. En même temps Hector se souvenait que toutes ces heures au lycée lui paraissaient très peu de chose dans sa mémoire, comme si elles avaient occupé un temps très court, alors qu'elles

61

avaient pris bien des années. Au contraire, certaines vacances, en y repensant, lui paraissaient avoir duré très longtemps comme s'il avait passé des années à jouer au bord de la mer ou dans la campagne où il y avait encore des bleuets et des coquelicots. Ça lui rappela une phrase qu'il avait entendue au lycée : « La vie intense fait paraître les heures courtes et les souvenirs longs. »

Tout ça amenait une grande question dont Hector se souvenait aussi bien que de la théorie de relativité restreinte : le temps existe-t-il en dehors de nous ? Et si toute notre vie n'était qu'un rêve ? Mais, dans ce cas, qui donc fait le rêve et où dort-il ? Et si au fond on n'était que le rêve de quelqu'un d'autre, est-ce que ça ne marchait pas dans l'autre sens ? Nos rêves racontaient la vie de personnes qui existaient quelque part ?

À force de se poser ce genre de questions, Hector s'endormit et il se mit à rêver, ou plutôt à revivre un souvenir en le rêvant. Il était dans son bureau avec Madame Irina. Madame Irina était une voyante, qui était venue le voir parce qu'un jour elle s'était aperçue qu'elle ne « voyait » plus. Hector ne savait pas trop que penser de la voyance. Il savait juste qu'il n'y avait aucune explication en accord avec la science d'aujourd'hui, mais après tout, il y a encore deux siècles, il n'y en avait pas non plus sur la naissance des éclairs ou comment se fabriquaient les bébés.

Alors, Madame Irina, Hector s'était contenté de la soigner pour la grosse dépression qu'elle avait eue après le départ d'un monsieur qu'elle aimait beaucoup. Un peu plus tard, Madame Irina s'était remise à « voir ». Et après, comme pas mal d'autres personnes, elle revenait voir de temps en temps Hector pour faire le point. Un jour, il avait demandé à Madame Irina si elle voyait l'avenir.

— Mais pour vous, qu'est-ce que ça veut dire, l'avenir ? demanda-t-elle.

Hector se dit que Madame Irina commençait à parler comme lui.

— Ce qui n'est pas encore arrivé. Demain. L'année prochaine. Ce qui arrive après le présent.

— Docteur, vous savez bien que le présent n'existe pas, dit Madame Irina. Il n'y a que le passé et l'avenir. Dès que vous pensez au présent c'est déjà du passé. Comme ce que je viens de vous dire à l'instant, c'est déjà du passé.

— Et donc, ça n'existe plus non plus, dit Hector, puisque c'est passé.

— Exact, dit Madame Irina. Et comme l'avenir n'est pas encore arrivé, ça n'existe pas encore, donc ça n'existe pas non plus.

Hector se dit que si on démontrait comme il venait de le faire avec Madame Irina que ni le présent, ni le passé, ni l'avenir n'existaient, on en arrivait vite à se demander si on existait soi-même. C'était un peu angoissant. Alors, il posa une question :

— Entendu, mais qu'est-ce que vous « voyez » ? L'avenir ?

Madame Irina réfléchit.

— Je vais être honnête avec vous, Docteur. Souvent je ne sais pas ce que je vois. Des images, des sensations, mais je ne sais pas toujours si cela se rapporte au passé de mon client ou à son avenir. Ça, j'arrive à le deviner en lui posant des questions.

— Et il y a des fois où vous ne voyez rien du tout ?

— Bien sûr. Voir, ça ne se commande pas. Quand je ne vois rien, je le dis carrément à mon client ou à ma cliente, et je propose un autre rendez-vous. Ou alors je me débrouille, dit Madame Irina en souriant.

— Et à votre avis, que se passe-t-il quand vous voyez dans l'avenir ?

Madame Irina hésita :

— En fait, Docteur, je crois qu'avenir, présent, passé, ça dépend du moment du temps où l'on se trouve. Nous, en ce moment, nous sommes de l'avenir pour les enfants que nous étions, mais du passé pour les gens que nous serons dans dix ans. Chaque instant est à la fois du passé, du présent, de l'avenir. Mais nous sommes tous coincés dans notre petit train personnel du temps, et le paysage défile toujours dans le même sens.

Ça rappela à Hector son rêve sur le temps avec le train dont il n'arrivait pas à sortir.

— Et alors ? dit Hector qui commençait à entrevoir l'extraordinaire explication de Madame Irina.

— Je crois simplement, Docteur, que pour moi, et pour quelques personnes, nous avons la capacité de nous échapper de notre train du temps personnel et de sauter de temps en temps dans d'autres trains qui sont partis à des horaires plus ou moins décalés les uns des autres.

— Cela voudrait dire qu'il y a plusieurs flux de temps en même temps ? Des mondes parallèles ?

— Appelez ça comme vous voulez, dit Madame Irina.

Et elle se pencha en avant pour caresser la joue d'Hector.

Là, Hector se dit qu'il rêvait vraiment.

Mais non, c'était une langue qui lui léchait la joue, et soudain, le mufle haletant d'un gros chien esquimau devant son nez, et la voix d'Édouard qui disait : « Noumen, dehors ! tout de suite ! »

Hector se réveilla complètement au moment où Noumen s'apprêtait à lever la patte contre son lit, mais Édouard l'emmena dehors.

Dehors, il faisait toujours nuit, et Hector se demanda s'il avait dormi toute une journée, mais il s'aperçut qu'il y avait quand même du changement, le ciel était passé du noir total au noir bleuté, et même à une couleur d'encre bleue un peu diluée à l'horizon. Hector se rappela ce qu'il avait appris à l'école un jour où il avait écouté : dans cet endroit au nord de toutes les cartes, la nuit durait très longtemps.

— On va aller voir les Inuits ! dit Édouard pendant que Noumen tournait autour de lui en aboyant de joie.

Hector se dit que des gens qui connaissaient chaque hiver une nuit de trois mois et chaque été un jour de trois mois avaient sûrement des choses intéressantes à raconter sur le temps.

Il prit le temps de noter sur son carnet, et c'était difficile car il avait les doigts très engourdis :

Exercice de temps n° 9 : Prenez le temps de réfléchir.
Le passé n'existe plus, donc il n'existe pas. Le futur n'existe

pas encore, donc il n'existe pas. Le présent n'existe pas, car dès qu'on en parle c'est déjà du passé. Alors, qu'est-ce qui existe ?

En voyant tout ce paysage dans la nuit, Édouard qui continuait à jouer avec Noumen, les lumières du village esquimau au loin, Hector se dit qu'il semblait continuer à rêver.

Exercice de temps n° 10 : Et si votre vie n'était que le rêve de quelqu'un d'autre ? Dans ce cas, où dort-il ?

Hector apprend à parler esquimau

Hector s'attendait à un igloo de neige, mais ils étaient tous assis dans un gros igloo de pierre, qui est un peu comme la maison pour les Inuits, car l'igloo de neige est plutôt comme une tente qu'ils montent juste pour passer la nuit.

Hector, Édouard, le chef du village et trois autres chasseurs plus jeunes étaient tous assis sur une très belle peau d'ours, eux-mêmes habillés de fourrure. Tout cela rappelait le temps passé, mais l'éclairage était quand même fourni par de petites ampoules électriques très modernes qui consommaient très peu de courant.

— C'est tout le problème, lui avait dit Édouard. Comment les aider sans détruire leur mode de vie ? Ici, ce sont les derniers Inuits nomades du coin, peut-être du monde.

Les femmes inuits se tenaient un peu à l'écart avec les enfants, et même des bébés qu'une ou deux allaitaient, et elles regardaient Édouard et Hector de temps en temps en souriant. Certaines étaient très mignonnes avec leur charmant visage encadré de fourrure, mais Hector évitait de les regarder, car il se souvenait d'avoir lu que, chez certains Esquimaux, il est bien élevé de proposer une femme pour la nuit à l'étranger de passage.

Si cela arrivait, que deviendrait sa bonne résolution de ne plus faire de bêtises ?

— « Halabonvot ! », dit le chef inuit en tendant son verre, ou plutôt son gobelet en plastique.

Hector crut que c'était un mot inuit, mais c'était simplement Édouard qui leur avait appris à dire : « À la bonne vôtre ! » Et les Inuits avaient aussitôt adopté ce mot.

Hector se demanda ce qu'ils buvaient. C'était à la fois amer, sucré et salé, avec un arrière-goût de rocher, et peut-être un peu d'oiseau aussi, mais pas les meilleurs morceaux.

— C'est fait avec le lichen qu'ils ramassent au printemps, dit Édouard.

— Et c'est fort ?

— Non, à moins d'en boire trois litres.

Hector vit que les Inuits le regardaient, et il sourit pour montrer qu'il appréciait beaucoup la bière de lichen.

— Finis ton verre, lui souffla Édouard.

Hector s'aperçut que tout le monde avait fini son verre, alors hop, il fit pareil.

Les Inuits sourirent à nouveau et aussitôt on remplit à nouveau le verre d'Hector en disant « Halabonvot », et Hector comprit qu'on allait les boire, les trois litres.

Le temps continuait de passer très lentement au goût d'Hector. Il se demanda comment les Inuits pouvaient supporter un temps aussi lent, et surtout comment Édouard, toujours pressé, y arrivait.

— Je me suis habitué, dit Édouard. En fait, c'est

comme ça pendant la nuit d'hiver. On ne peut que rester dans l'igloo, ils ne peuvent pas chasser et vivent sur les réserves qu'ils ont faites au printemps. Des tribus entières mouraient de faim quand les réserves n'étaient pas suffisantes pour tenir jusqu'au printemps. Maintenant, on les aide. Mais si on les aide trop, ils ne chassent plus, et commencent à devenir des assistés. L'alcool, la télé, les films porno, et après on a vite besoin des psychiatres.

Édouard expliqua qu'ailleurs, plus au sud, il y avait des villages en préfabriqué, où les Inuits avaient tout le confort moderne et ne chassaient plus guère. Résultat : un psychiatre passait toutes les semaines pour s'occuper de tous les jeunes qui buvaient, sniffaient de l'essence ou se tapaient dessus, surtout l'hiver, parce que maintenant pour eux, l'hiver était devenu ennuyeux, et la vie en général, parce qu'ils s'ennuyaient à l'école encore plus qu'Hector quand il était petit.

— Là-bas, on les a sortis de leur temps naturel, pour les mettre dans le nôtre, le temps des Blancs, dit Édouard. Alors, il y a de la casse.

Hector sentit soudain que même si les secondes de sa montre étaient partout dans le monde les mêmes, le temps ne passait pas pareil pour les gens des différents endroits du monde. Le nombrant et le nombré, aurait dit Aristote, qui n'avait pourtant jamais vu un Esquimau.

— Et puis, l'hiver, tout va encore plus lentement, dit Édouard.

— Et comment c'est au printemps ?

— Alors là, c'est le contraire d'aujourd'hui. Tout

le monde s'agite, ils vont chasser, ils se déplacent, migrent vers d'autres camps, ils font des fêtes. Et puis… ils n'arrêtent pas de faire l'amour. D'ailleurs, les femmes ont à nouveau des règles, parce qu'elles n'en ont pas en hiver.

Hector regretta de ne pas être venu au printemps : le temps lui aurait sûrement paru moins long.

Édouard s'était mis à parler avec le chef, parce que comme pour toutes les matières il y a longtemps à l'école, Édouard avait appris assez vite à parler inuit.

Le chef fit : « Ooh » et regarda Hector d'un air inquiet.

— Zut, dit Édouard, je lui ai dit que tu étais psychiatre, alors il pense que tu apportes la malédiction, comme pour les autres tribus.

— Dis-lui que je suis en vacances, dit Hector. Et que je m'intéresse au temps qui passe.

Édouard recommença à parler au chef. Il écoutait en regardant Hector, et puis il sourit et dit quelque chose à Édouard.

— Il demande si tu penses que le temps des Inuits est le même que le temps des Kablunaks. Kablunak, c'est leur mot pour nous, dit Édouard. Si notre monde a commencé en même temps que le nôtre, non le leur, enfin, si le monde inuit a démarré en même temps que nous, dit Édouard.

On ne vous a pas dit, mais pendant tout ce temps, les « Halabonvot ! » avaient continué, et maintenant, même Édouard avait un peu de mal à dire ce qu'il voulait.

Hector répondit que, dans son pays, certains

pensaient que le temps était le même pour tout le monde, mais d'autres – il pensait à Hubert ou à Madame Irina – se demandaient s'il n'y avait pas des temps différents qui se passaient plus ou moins en même temps.

Le chef sourit et parla à un jeune chasseur qui se leva et sortit de l'igloo. Cela fit un courant d'air terrible qui parut durer très longtemps à Hector.

En même temps, il voyait les petits enfants inuits tout nus qui jouaient en riant sur la peau d'ours, et il se dit que pour être un bon Inuit il fallait commencer très tôt.

Le jeune chasseur revint avec un très vieil Inuit, habillé entièrement de peau de renard des neiges, et on pouvait le deviner sans être un grand connaisseur en fourrures puisque les têtes de renards s'alignaient dans presque tous les endroits de son costume. Hector s'aperçut que ce vieux monsieur ne voyait que d'un œil. L'autre était tout blanc du côté de son visage barré par une cicatrice un peu effrayante. Enfin bref, si vous l'aviez croisé la nuit dans votre appartement en allant aux toilettes, vous auriez poussé un cri qui aurait réveillé tout l'immeuble.

— Je sais qui c'est, mais c'est la première fois que je le vois, dit Édouard. Tu as de la chance… Son œil, c'est à cause d'un ours, quand il était jeune.

Le vieil Inuit regarda longtemps Hector de son œil unique et Hector sentit aussi que tous les Inuits le regardaient. Finalement, le vieil Inuit vint s'asseoir en face de lui, et lui prit les mains dans les siennes. Hector trouva qu'elles étaient glacées comme celles d'un… mais là il évita d'y penser. Le vieil Inuit se mit à lui parler inuit, en tout cas c'est ce que supposa Hector, car il ne comprenait rien. Il continuait de regarder Hector, mais celui-ci avait l'impression que c'était l'œil tout blanc qui le regardait, et il commençait à avoir sommeil. Il se dit qu'il avait trop bu, et en même temps il se sentait très léger, et puis il s'endormit.

En tout cas, c'est ce qu'il crut.

Hector voyage dans le temps

Hector marchait dans une grande plaine neigeuse, peut-être une banquise, il ne savait pas. Partout il n'y avait tellement rien qu'à l'horizon il avait l'impression de voir la légère courbe qui rappelait que la Terre est ronde. Tout en marchant, il se voyait lui-même ; sa chevelure était devenue aussi blanche que celle du vieux François et son visage aussi était ridé. Il n'avait pas froid, et pourtant il était habillé comme quand il restait à la maison, avec un vieux pantalon, une vieille chemise et des chaussures usées qu'il avait portées il y avait long-temps pour faire du bateau. Le silence était parfait, il entendait juste son souffle et les battements de son cœur, qu'il sentait d'ailleurs se fatiguer un peu.

Hector ne savait pas où il allait, mais il voulait vraiment sortir de cette banquise, car même s'il savait qu'il était dans un rêve, le froid commençait à le gagner.

Des maisons commencèrent à apparaître. Des cabanes de rondins, parfois des chalets un peu plus grands, où on avait allumé des feux à l'intérieur. Sur le seuil de chaque maison, des femmes le regardaient passer. Hector en reconnaissait certaines – des anciennes petites amies qui le fixaient d'un air étonné ou parfois un peu triste – et d'autres qu'il n'avait jamais vues. Il y en avait de toutes les couleurs qu'on trouve sur la Terre, et quelques-unes de très très charmantes. Chaque fois qu'Hector passait devant une de ces maisons, il pensait à s'y arrêter, se disant que la femme l'accueillerait gentiment et le réchaufferait. En même temps, il voulait continuer à marcher. Il trouverait peut-être un chalet encore plus accueillant et une amie encore plus charmante que les précédentes. Pensant à Clara, il se disait vaguement qu'il ne devait pas faire de bêtises, mais elle n'était pas là, et puis tromper dans un rêve, était-ce vraiment tromper ?

À mesure qu'il marchait, la nuit tombait. Peu à peu, il n'y eut plus de maison en vue. Il voulut faire demi-tour, mais il était allé trop loin, il ne voyait plus les maisons qu'il avait laissées derrière lui. D'ailleurs, avec le jour qui s'en allait sur l'horizon absolument plat, il ne savait plus du tout d'où il venait. Même ses traces s'étaient effacées. Il pouvait très bien être en train de tourner en rond. Le vent se levait, la nuit arrivait, et Hector ne pouvait plus ni avancer ni reculer. Soudain, il eut envie que le vieux moine apparaisse. Cela lui aurait fait bien plaisir. Mais non, il faisait de plus en plus noir, et Hector n'avait comme compagnie que le bruit du vent et les battements de son cœur assez fatigué au milieu de la plaine.

Voilà qu'il retrouva le vieil Inuit qui lui parlait en lui tenant les mains, Édouard qui les regardait, ainsi que tous les autres Inuits, même les bébés qui avaient l'air d'avoir un peu peur. Hector voyait la scène de haut, comme s'il était un oiseau qui voyait à travers le toit de pierre et de neige, et puis il prit de la hauteur, et c'était la nuit.

Hector se réveilla. Il était allongé dans le grand igloo de pierre, et il vit que tout le monde dormait, même Édouard qui était allongé près de lui et ronflait assez fort. On avait juste allumé une lampe à huile qui éclairait le plafond de pierre d'une douce lueur orange.

Hector commença à penser à son rêve, en se disant qu'il était peut-être temps qu'il se marie avec Clara.

Hector invente le monde

Le jour d'après (si ce mot a un sens, remarquez, car il faisait toujours nuit), Hector et Édouard revinrent à leur camp pour le déjeuner. À l'intérieur d'une grande tente, tout le monde, Hilton, ses amis et la jolie pilote, était assis à une table de réfectoire, et l'ambiance était assez joyeuse. Ça rappela à Hector les colonies de vacances quand il était encore enfant.

— Alors, on s'habitue ? lui demanda Hilton.

— Vous avez l'air très reposé, lui dit la jolie pilote qui se prénommait Éléonore.

— Mon ami a rencontré le chamane, dit Édouard.

Éléonore eut l'air très intéressée :

— Est-ce qu'il vous a fait voir votre avenir ?

— J'en ai peur, dit Hector.

Il n'avait pas tellement envie d'en dire plus. Ce qu'il avait vu, était-ce son avenir ? Allait-il vieillir tout seul dans une plaine infinie, ou bien son avenir pouvait-il encore être changé ?

— De toute façon, on ne peut pas prédire l'avenir, dit Hilton.

— Ah oui ? dit Éléonore. Et la météo ? Ce n'est pas prévoir l'avenir, ça, peut-être ?

76

Hilton reconnut qu'on pouvait peut-être prévoir le temps qu'il ferait un ou deux jour à l'avance, mais pas la vie des gens.

— Et pourquoi pas ? dit Éléonore. C'est simplement plus compliqué ; il y a plus de facteurs en jeu.

— Dans mon ancien métier, dit Édouard, on essayait de prévoir les cours de la Bourse. C'était aussi compliqué que la météo.

— C'est simplement que, pour prévoir la vie des gens, il faudrait encore plus de données que pour prévoir l'arrivée d'un orage, dit Éléonore. Mais en principe, ça n'est pas impossible. Le futur est toujours déterminé par le présent. Le problème, c'est qu'on ne connaît pas assez bien tout le présent pour prévoir tout le futur.

Ce que disait Éléonore rappela à Hector un mot qu'il avait entendu au lycée un jour où il ne s'ennuyait pas : « déterminisme ». Il se souvenait qu'un philosophe qui avait une jolie perruque avait dit que si on connaissait absolument toutes les conditions du passé et du présent, on pourrait prédire exactement le futur. Encore une question à poser au vieux François.

— Il y a des gens qui croient qu'on peut connaître son avenir en lisant son horoscope, dit Hilton. Ça m'a toujours fait rigoler.

— Et s'il y avait un peu de vrai ? dit Éléonore d'un air assez énervé.

— Bof, dit Hilton, croire qu'on peut prédire l'avenir d'après des données astronomiques des temps anciens…

— Il est facile de nier ce qu'on ne comprend pas, dit Éléonore.

Hector devina qu'Éléonore lisait son horoscope. Elle pilotait un avion dans des conditions dangereuses, en tenant compte des prévisions météo et de la position des étoiles calculée de manière tout à fait scientifique, mais elle regardait quand même son horoscope avant. Comme Clara, d'ailleurs. C'était même la première chose qu'elle regardait quand elle achetait un magazine pour dames. Et Clara était capable de faire des calculs très compliqués sur son petit ordinateur. Étonnant, non ?

— De toute façon, les horoscopes, dit Hilton, on peut les interpréter comme on veut ; c'est le contraire de la science.

— Pas du tout, ça dépend lesquels.

Hector voulut arrêter une discussion dont il prévoyait qu'elle allait mal tourner, car il voyait bien qu'elle en cachait en fait une autre, comme toujours pour toutes les discussions qui tournent mal. Il sentait qu'Hilton avait été amoureux d'Éléonore, que celle-ci n'en avait pas voulu, et que maintenant Hilton aimait l'énerver un peu, parce qu'il lui en voulait de ne pas avoir voulu de lui ou bien pour montrer qu'il était un vrai mâle et pas le petit toutou soumis qu'il avait peut-être un peu été quelque temps avec elle.

— L'avenir est déjà arrivé, dit Hector.

Tous les gens assis à la longue table le regardèrent. Il ne s'était pas rendu compte qu'il avait parlé très fort. Il essaya de mieux s'expliquer.

— Ce que vous appelez avenir, c'est déjà du passé, ailleurs, dans un autre temps.

Tout le monde continuait de le regarder sans rien

dire. Hector se sentit un peu embêté. Il essaya de se rattraper en disant quelque chose de plus rigolo.

— Ce que nous vivons, là, maintenant, c'est peut-être le rêve de quelqu'un d'autre. Et ce rêve dépend peut-être de ce que cette personne qui rêve a dîné avant d'aller se coucher… Une bonne journée pour vous, c'est parce que cette personne a dîné d'une bonne soupe de légumes et d'une sole-pommes vapeur, et fait de beaux rêves ; une mauvaise journée, c'est la faute de trop de choucroute et de vin blanc avant d'aller au lit.

— On va faire un tour, dit Édouard.

Une fois dehors, Édouard regarda Hector d'un air inquiet.

— Tu te sens bien ? demanda-t-il à Hector.

Hector répondit qu'il se sentait très bien et puis hop ! il tomba dans les pommes.

Hector chante dans la neige

Ils revenaient au camp inuit en motoneige. Édouard pensait qu'Hector avait peut-être un peu trop bu de bière de lichen la veille, qu'il n'était pas habitué et que les Inuits auraient peut-être un médicament pour cela. Hector se laissait faire, mais il était quand même un peu inquiet : et si le médicament était pire que le mal ?

Pendant que le vent de la course commençait à faire geler un petit morceau de sa joue laissé à l'air entre le bord des lunettes et celui de son écharpe, Hector remarqua qu'il y avait du changement dans le paysage : on voyait une bande de ciel clair à l'horizon, comme si le Soleil allait se lever.

Hector aperçut les Inuits près de leur igloo : ils étaient agenouillés face à ce jour qui naissait. Édouard coupa le contact de sa motoneige pour ne pas faire de bruit.

— Ils ont commencé à prier, dit-il.

C'était la période de l'année où les Inuits priaient tous les jours pour que le Soleil finisse par se montrer.

— Ils ont un avantage sur nous, dit Édouard, ils attendent de la vie simplement ce qu'elle leur a déjà donné de mieux… comme le printemps. Enfin, ils sont comme ça tant qu'ils n'ont pas rencontré de Blancs. Maintenant, ils veulent des motoneiges, et bientôt des télés.

Un vieil Esquimau les aperçut et vint à leur rencontre. Comme il se rapprochait, Hector reconnut le chamane, mais il lui parut beaucoup plus petit que la veille, et il était simplement habillé de peaux d'ours comme les autres.

Édouard se mit à lui parler en esquimau. Le chamane répondit en souriant.

— Il dit que tu es un grand voyageur, pour un Kablunak, dit Édouard. Il dit qu'il peut te faire voyager encore.

— Demande-lui s'il m'a fait voyager dans mon futur.

Édouard recommença à traduire.

— Il dit qu'il ne sait pas. Dans une de tes vies d'avant ou une de tes vies futures, il ne peut pas savoir.

Cette réponse rappela à Hector ce que lui disait Madame Irina sur ses clients et il pensa qu'elle aussi était un peu chamane.

— Il pense que j'ai plusieurs vies ?

— Pour eux, le temps est cyclique, dit Édouard, c'est un éternel retour comme le retour des saisons, comme le Soleil qui disparaît, puis revient. Nous mourons, comme lui, et puis nous renaissons.

Hector se dit qu'en voyageant encore avec le chamane il n'aurait pas tellement aimé découvrir toutes les bêtises qu'il avait faites dans ses vies antérieures, à la rigueur celles qu'il aurait pu éviter dans ses vies futures.

— Et comment comptent-ils le temps ? demanda Hector.

— Maintenant, il y en a qui ont des montres.

— Oui, mais avant ?

— Ils avaient le sens du temps, et puis aussi en regardant le ciel changer. Ici, tu as intérêt à rentrer au camp avant que la nuit tombe.

Hector se souvint d'avoir lu dans un journal pour psychiatres que même sans montre, la plupart des gens sont capables de mesurer le temps sans trop se tromper, sauf quand ils dorment, et encore. Mais, avec des montres et des horloges partout, tout le monde a perdu l'habitude.

Il se promit de noter :

Exercice de temps n° 11 : Cachez votre montre. De temps en temps notez l'heure que vous croyez. Ensuite, comparez avec l'heure de la montre.

Le vieux chamane écoutait Hector et Édouard se parler, et il n'avait pas l'air de s'impatienter. Soudain, Hector pensa à tous les gens pressés par le temps qu'il avait rencontrés dans son pays. L'horloge dans le ventre.

— Tu peux lui demander si parfois ils sont pressés ?

— C'est un peu difficile à traduire, dit Édouard.

Il recommença à parler au chamane, qui réfléchit un peu avant de répondre.

— Il dit que parfois ils sont pressés par le temps, oui.

— Mais quand ?

Le chamane se mit à chanter d'une voix tellement

basse, qu'on aurait dit des rochers frottant contre d'autres rochers.

Édouard écoutait et se mit à traduire, en essayant de chanter pareil.

— Le vent se lève, il faut vite construire l'igloo… Nanouk l'ours court sur la neige, il faut courir après lui et presser nos chiens… La banquise commence à craquer et il faut vite la traverser avec notre traîneau… Ma bien-aimée est restée au village, je dois rentrer avant qu'elle choisisse un autre chasseur…

Le chef reprit sa chanson, mais cette fois avec un petit rire. Édouard rit aussi.

— Le Kablunak-qui-compte-vite va revenir au camp, il faut compter nos peaux. Et devenir des Inuits-qui-vont-vite…

Hector se dit qu'avant, les Esquimaux n'étaient jamais pressés par personne d'autre ! Il fallait juste aller de temps en temps plus vite pour rattraper le jour qui tombait, le gibier qui courait, ou sa bien-aimée qui prenait de la distance. Et puis, même si on loupait son coup et qu'on se retrouvait un soir avec son traîneau sur une banquise en train de craquer, ce n'était pas si grave, puisque sa vie allait recommencer. Ce genre de temps avait été celui de tous les hommes pendant très longtemps, en fait la plupart du temps depuis que les hommes et les femmes existaient !

Soudain, Hector eut envie de chanter, et cela lui vint tout seul. Alors, les pieds dans la neige, il chanta :

Cours, cours après la neige,
Cours après le jour,

Ou cours après ta bien-aimée,
Cours après l'ours,
Cours après la glace
Mais ne cours pas après le temps,
Non, ne cours jamais trop longtemps
Après le temps des Blancs.

Hector a un ticket

— Je pense que tu ne devrais pas rester trop long-temps dans le coin, dit Édouard.

— Mais pourquoi ? Je m'amuse beaucoup. Et puis, le temps des Inuits, c'est très intéressant.

— D'accord, mais je trouve que du deviens… bizarre.

— Non, c'est juste que je me relâche un peu, dit Hector en se tenant quand même bien à la selle de la motoneige, car ils venaient de passer une très grosse bosse.

Loin derrière eux, tous les Inuits entonnaient en chœur une nouvelle chanson, celle d'Hector, avec les paroles en inuit grâce à la traduction d'Édouard. Au moment du départ, le chamane avait donné une dent d'ours à Hector.

— Si on reste, ils vont te proposer une femme, avait dit Édouard.

Alors, ils étaient partis sur leur motoneige, et Hector se réjouit de n'avoir pas fait de bêtises cette fois. Il se dit qu'il avait un certain mérite puisqu'il avait bien remarqué que les femmes inuits avaient apprécié ses talents (inconnus jusqu'alors) de compositeur-interprète, car pendant ces très longues nuits d'hiver, c'est toujours agréable d'avoir un chanteur à la maison.

Ils arrivèrent au pied d'un glacier qu'on voyait assez bien car, à l'horizon, il faisait presque jour même si le soleil ne se montrait pas encore. Le reste de la nuit était devenu bleu clair. (Un glacier, c'est comme une énorme glace qu'on aurait renversée, et qui se mettrait à couler très lentement tout en restant gelée.) Depuis quelques années, ce glacier n'avançait plus guère, il se contentait de fondre un peu chaque été. C'est peut-être pour cela qu'Hilton et son équipe de chasseurs de bulles s'étaient installés dessus : ce glacier, il fallait en profiter pendant qu'il était encore là !

Éléonore était là aussi et Hector aperçut son petit avion rouge posé un peu plus loin sur la glace. Édouard arrêta la motoneige près d'un gros appareil de forage dressé sur trois pattes qui allait chercher les bulles très profond dans la glace. Des gens emmitouflés le manipulaient, pendant qu'Hilton et Éléonore discutaient un peu plus loin. Ils eurent l'air contents de voir arriver Hector et Édouard.

— Ça va mieux ? demanda Éléonore à Hector.

— Jamais été aussi bien, dit Hector.

Hilton demanda à Édouard s'il pensait que les Inuits pourraient les aider à déplacer son matériel vers un autre gisement de bulles.

— Pas de problème, dit Édouard, ils aiment beaucoup l'idée de remonter dans le temps grâce à de petites bulles dans la glace. En fait, ça ressemble à leur mode de vie : arriver à faire plein de choses à partir de presque rien.

Hector se souvint qu'avant l'arrivée des premiers bateaux de Blancs, les Inuits n'avaient jamais vu de bois. Leurs traîneaux, ils les fabriquaient avec les os et les peaux des animaux qu'ils chassaient. Et c'est avec leur graisse qu'ils arrivaient à faire des feux.

Hector demanda à Hilton et à Éléonore s'ils allaient rester longtemps dans cette région du monde.

— J'aime piloter, dit Éléonore, et ici c'est pas plus mal qu'ailleurs. Ou plutôt non, c'est pire qu'ailleurs, mais ça m'intéresse, justement. Et puis les paysages sont tellement magnifiques au printemps.

Hector demanda à Éléonore où elle habitait d'habitude. Elle répondit qu'elle laissait ses affaires dans une chambre d'hôtel dans la dernière ville de Blancs avant d'arriver en terre inuit.

Hector comprit qu'Éléonore n'avait donc ni homme ni maison dans sa vie. Elle paraissait sans attaches, comme lorsqu'elle s'envolait au-dessus de la banquise. Il se demanda si elle pensait au temps qui passait (Hector avait remarqué les petites rides au coin de ses yeux dont lui avait parlé Clara) et au temps qui lui restait pour faire un bébé.

— En fait, mener cette vie, dit Éléonore, ça fait oublier qu'on est devenu une grande personne. On oublie le temps qui passe.

En disant cela, elle regardait en souriant son petit avion rouge, qui de loin, ressemblait à un joli jouet posé sur la glace.

— On peut l'oublier, dit Hilton, mais nous sommes devenus des grandes personnes, le temps passe, et de plus en plus vite.

Et Hector devina encore l'autre conversation qui se cachait derrière celle-là.

— Dans très longtemps, dit Éléonore, je serai peut-être moi aussi un tas de petites bulles dans la glace, parce qu'un jour je me serai écrasée avec mon avion. Et des gens comme toi chercheront à savoir ce qu'il y avait dans le sang d'une femme du XXIᵉ siècle.

Elle eut un petit fou rire charmant. Hector se dit qu'il avait déjà rencontré des jeunes femmes assez difficiles à retenir, mais qu'Éléonore n'était sans doute pas loin du record du monde, comme il pouvait le voir à l'air malheureux d'Hilton.

— De toute façon, dit Éléonore en se tournant vers Hector, un psy comme vous me dirait que la fuite en avant, c'est un moyen d'échapper à quelque chose ! Je connais ce genre de trucs…

Elle avait l'air de s'en moquer un peu, de ce que disaient les psychiatres.

— Le problème, dit Hector, c'est de ne pas arriver à s'échapper de son envie d'échapper au temps qui s'échappe.

— S'échapper de son envie d'échapper au temps qui s'échappe ? demanda Éléonore.

— Oui, l'envie de toujours échapper au temps, c'est aussi comme une prison. Les barreaux sont invisibles, mais on les emporte avec soi.

Il pensait à son rêve, aux cheveux de ses collègues psychiatres, à Marie-Agnès et à ses suppléments de suppléments, à Clara et à sa crème anti-âge, aux amours du vieux François et puis aussi à Éléonore qui ne voulait pas vivre comme une grande personne.

— Bien sûr, continua Hector, sortir de cette prison, c'est peut-être encore plus difficile que de voler la nuit au-dessus de la banquise dans une tempête de neige.

Éléonore regarda Hector, Hector regarda Éléonore, et Hector se dit qu'Édouard avait raison, la bière de lichen lui faisait dire des choses qu'il aurait gardées pour lui avant.

Et il se dit aussi qu'il ferait bien de ne pas rester trop longtemps dans le coin…

Hector et les perdurantistes

Hector buvait du café très chaud en lisant la réponse du vieux François sur l'écran de l'ordinateur d'Édouard.

Cher ami,
Ce qui est amusant quand on lit de la philosophie, c'est qu'on s'aperçoit qu'on est tous philosophes sans le savoir.

Enfin, le philosophe qui pensait qu'on pouvait prévoir tout le futur si on connaissait tout le passé, c'était Laplace, un astronome du temps de la Révolution française qui savait qu'on pouvait prédire le mouvement des planètes. Comme il savait qu'on n'arriverait jamais à connaître tout le passé, il se disait que pour prévoir l'avenir, il fallait s'en tirer avec des calculs de probabilités. Du coup, il les a inventés, ces calculs ; il y a même une loi des probabilités qui porte son nom. Je vous parle d'une époque où certains philosophes étaient aussi très bons en maths.

Le passé qui n'existe pas, car il n'existe plus, le futur idem, car il n'existe pas encore, et le présent qui n'existe pas car aussitôt du passé, vous trouverez tout cela dans saint Augustin ! Selon lui, le temps n'existe qu'en nous, car nous percevons à chaque instant le passé, le présent et l'avenir, dans ce qu'il appelle une « distension de l'âme ».

L'histoire des mondes parallèles, ça fait penser à un autre grand débat en philosophie. Certains pensent que passé, présent et futur, ce n'est vraiment pas la même chose. On se souvient du passé, on imagine le futur, etc. On vit au présent dans un monde à trois dimensions, et ce monde n'existe qu'au présent.

D'autres disent que passé, présent, futur, c'est du pareil au même. Cela dépend du moment où l'on se trouve. Chaque objet a trois dimensions plus une quatrième, le temps.

En fait, les premiers, on les appelle les endurantistes, les seconds les perdurantistes. Votre patiente voyante est une perdurantiste !

Mais je m'arrête là, car je me dis qu'au pôle Nord, vous devez avoir bien froid et qu'il ne faut pas rester trop longtemps immobile.

Hector et les bouteilles à moitié vides

Hector retira ses gants et ouvrit son petit carnet. Il pensa au temps des Inuits, et au temps de son enfance à la campagne. Cela lui donna une idée :

Exercice de temps n° 12 : En pensant à tout votre passé, essayez de prévoir tout votre avenir (enfin, votre avenir le plus probable).

Il se dit que c'était un exercice qu'on faisait parfois pour les autres : prévoir si leur mariage allait tenir le coup, s'ils allaient réussir dans leur métier ou si les enfants allaient être heureux dans la vie. Mais cet exercice, on ne le faisait presque jamais pour soi ! Lui aussi aurait aimé prévoir l'avenir et savoir où la suite de ces exercices allait le mener. Surtout il espérait qu'il retrouverait le vieux moine et qu'il lui montrerait sa liste.

— Allez, ça y est, le moteur est chaud !

C'était Édouard qui venait le prévenir que l'avion était prêt à décoller. Ils se dirent au revoir en se promettant de se revoir bientôt.

Hector se retrouva dans l'avion avec Éléonore et une maman inuit avec son bébé, qu'elle voulait montrer à un docteur plus au sud, parce que le bébé ne grossissait pas, même en tétant beaucoup. Malgré le bruit du moteur, le bébé était très calme et tétait avec un air très concentré.

Pour ne pas les déranger, Hector s'assit à côté d'Éléonore. Elle était très occupée à regarder pas mal de cadrans de toutes les couleurs et à pousser et tirer encore plus de petites manettes. Et puis, hop, ils commencèrent à glisser de plus en plus vite sur la glace, et soudain le moteur poussa un rugissement terrible comme le cri d'une bête mortellement blessée, et puis ils se retrouvèrent en l'air et de plus en plus haut.

Le bébé avait continué à téter en fermant les yeux, et sa maman inuit le regardait d'un air inquiet. Hector pensa que l'idée d'un vieil Anglais barbu se vérifiait une fois de plus : quelle que soit la couleur des gens ou la région du monde où ils vivent, les mêmes émotions les font rire, pleurer ou avoir du souci. À l'époque du vieil Anglais barbu, son idée n'avait pas plu du tout aux gens de son pays, car ils étaient du genre à penser qu'ils étaient beaucoup mieux que les autres, et surtout beaucoup mieux que ceux d'une couleur différente. Et ensuite le vieil Anglais, pourtant un homme très gentil, les avait contrariés encore plus en annonçant que tous les hommes (attention, les femmes aussi) descendaient du singe, y compris les gens qui buvaient du thé en levant le petit doigt et en faisant « hum ».

Hector espérait aussi que le bébé n'était pas trop malade.

— Alors, dit Éléonore, vous avez aimé ?

— Oui, dit Hector. C'est comme un voyage dans le temps. Ils vivent un peu comme nous il y a bien longtemps.

— Plus pour longtemps, dit Éléonore.

— Oui, et à cause de nous.

— C'est vrai, dit Éléonore. D'un autre côté, maintenant les bébés sont soignés. Avant, il en mourait beaucoup.

Hector pensa que c'était au moins une chose qu'on pouvait dire de positif à propos de la civilisation dont ils venaient, Éléonore et lui : les bébés avaient de meilleures chances et les femmes qui accouchaient aussi. D'une manière générale, on vivait bien plus longtemps que les Inuits autrefois.

— Remarquez, dit Éléonore, quand on voit ce qu'on en fait de notre temps supplémentaire, on se demande si c'est une bonne chose. La maison de retraite, très peu pour moi.

Hector se rappela que c'était aussi une nouvelle invention de sa grande civilisation : la maison de retraite. Est-ce qu'on pouvait en être vraiment fier, de cette invention-là ?

Hector se dit qu'à force de se poser et de décoller sur la glace et de voler à travers des tempêtes de neige, Éléonore avait de bonnes chances d'échapper à la maison de retraite.

D'un autre côté, en ne se dépêchant pas de faire pas mal de bébés qui plus tard deviendraient de gentils enfants qui s'occuperaient d'elle quand elle serait vieille, comme cela se faisait dans toutes les autres civilisations du monde, Éléonore augmentait le risque d'atterrir un jour dans la chambre « myosotis » avec quelqu'un qui lui dirait : « Alors, Mamie, on veut de la compote de

94

pruneaux aujourd'hui ? » Cette personne ne verrait pas forcément en Éléonore la jeune femme qu'elle avait été.

Cela lui donna une idée pour les maisons de retraite, et pour tous les patients âgés dans les hôpitaux : toujours accrocher au mur de leur chambre quelques photos du temps où ils étaient jeunes, pour que les gens comprennent bien qui ils étaient vraiment. Car même si le passé n'existait plus, il était quand même utile de s'en souvenir pour comprendre quelqu'un. Hector nota :

Exercice de temps nº 13 : Quand vous rencontrez une personne âgée, imaginez toujours comment elle était quand elle était jeune.

Après une pensée comme celle-là, Hector se sentit un peu triste et il eut brusquement très envie d'une coupe de champagne.

— Et vous, qu'allez-vous en faire, du temps qui vous reste ? demanda Éléonore.

Tiens, pensa Hector, l'avenir aussi n'existe qu'au présent, quand on le vit ou quand on en parle. Il pensa à différentes réponses, et puis il fit un gros effort sur lui-même, et il dit :

— Peut-être faire un bébé avec la femme que j'aime.

Éléonore resta silencieuse quelque temps. Et puis elle dit :

— En fait, je crois que je ne suis pas assez optimiste pour faire un bébé. Je me dis que la vie est trop difficile, que le monde sera peut-être pire plus tard et que je n'ai pas envie de donner la vie à un enfant si ça doit être une vie de souffrance…

Encore la manière de voir la vie comme une bouteille à moitié vide ou à moitié pleine, pensa Hector. Il se dit aussi que pour penser comme ça, Éléonore avait dû déjà se prendre pas mal de bouteilles à moitié vides dans la figure quand elle était petite fille.

Hector comprend le secret des psychiatres

Hector retrouva sa ville comme il l'avait laissée, avec ses habitants qui avaient beaucoup plus de choses que les Inuits, mais qui s'inquiétaient beaucoup plus qu'eux de leur avenir et du temps qui passe.

Hector était toujours tracassé par l'idée que le vieux moine était peut-être mort et qu'il ne le reverrait jamais, et il se reprochait de ne pas être allé le voir plus souvent.

Pour se distraire, il questionna Clara à propos des teintures pour les cheveux des hommes. À son avis, était-ce bien ou mal ?

— Je n'aime pas, dit Clara. Mais d'un autre côté, si c'est bien fait, c'est vrai que ça fait paraître plus jeune. Et aujourd'hui pour trouver un job, mieux vaut ne pas trop faire son âge. Toi, tu as la chance de ne pas dépendre de quelqu'un pour ton travail. Dans ton métier, au contraire, les cheveux blancs ça donne l'impression d'avoir de l'expérience et de la sagesse.

— Très bien, dit Hector, mais alors pourquoi certains de mes collègues ?…

— Ce n'est pas pour leurs patients, à mon avis, dit Clara. C'est pour plaire à des gens plus jeunes qu'eux. Le jour où je te vois te teindre les cheveux, je te casse la bouteille sur la tête !

Cette réflexion fit plaisir à Hector, car cela voulait dire que Clara imaginait qu'ils seraient encore ensemble quand il aurait plein de cheveux blancs ! Il se souvint de son rêve où il marchait sur la banquise avec une chevelure aussi blanche que celle du vieux François. Peut-être le vieil Inuit l'avait-il fait voyager dans une de ses vies antérieures ?

Pour se changer les idées, Hector alluma son ordinateur et regarda s'il avait des messages.

Eh oui, Édouard lui avait envoyé un message.

Cher Hector,
Quelque chose d'assez difficile à raconter.
Le chamane inuit me parle de toi tous les jours main-tenant. Pour lui tu es le-Kablunak-qui-voyage. Voilà ce qu'il m'a dit hier.
Le Kablunak-qui-voyage doit aller en haut de la montagne. Il doit retrouver le pas-Kablunak-mais-pas-Inuit-non-plus-qui-rit-souvent. Autrement, très mauvaises vies pour lui et pour quelqu'un qu'il aime, plus tard.
Qu'en penses-tu ?

Édouard

Clara et le temps qui passe

Quand Hector expliqua à Clara qu'il voulait aller voir si le vieux moine était toujours dans son monastère là-bas sur la montagne en Chine et qu'ils pouvaient y aller tous les deux ensemble, Clara eut l'air embêtée.

— J'aimerais bien, mais je me sens fatiguée, dit Clara. Et puis, si je prends des vacances maintenant ça va être l'enfer au retour.

Moi qui fais des efforts pour ne pas faire de bêtises, pensa Hector, je ne suis vraiment pas aidé !

Mais il vit que Clara n'avait pas l'air inquiète de le voir partir tout seul. Peut-être parce qu'elle avait senti qu'il ne voulait plus faire de bêtises. Peut-être aussi parce qu'elle se disait que s'il allait voir un vieux moine dans son monastère, il ne serait pas dans l'humeur d'en faire, des bêtises. Ce qui prouve que les femmes sont parfois un peu trop optimistes.

Remarquez, il faut l'être pour se décider à faire des bébés et s'en occuper pendant des années. Ça prouve que la nature est bien faite (mais pas toujours gentille quand même).

En fait, Hector trouvait que Clara n'avait pas l'air inquiète, mais triste.

— Tu es triste parce que je pars ?

— Oui… non, dit Clara.

— Oui-non ou non-oui ? demanda Hector d'un air très sérieux, et il arriva à faire rire Clara. Mais même son rire était triste.

— Alors ? demanda Hector.

Clara finit par dire qu'ils s'aimaient, elle en était sûre maintenant. Mais elle se demandait s'ils allaient arriver à se marier et à faire un bébé.

— J'ai l'impression qu'on a laissé passer le moment où il faut faire cela sans trop réfléchir, dit Clara.

Hector était un peu sonné, mais Clara lui expliqua. Elle sentait que la vie d'une histoire entre deux personnes, c'était un peu comme celle d'une personne.

— Tu vois, moi je crois qu'un couple qui commence, c'est comme un enfant. D'abord, tout lui paraît frais et nouveau ; puis il grandit, il comprend mieux les choses, il devient une grande personne ; puis il devient mûr, et puis carrément vieux, et puis comme une personne âgée. Le couple meurt parce que l'un des deux meurt ou, plus souvent maintenant, parce qu'on se sépare. Je crois qu'un couple, c'est comme un être vivant qui naît, qui vieillit et puis qui meurt.

— Et tu penses que le nôtre n'est plus vivant ?

— Non, dit Clara, ce serait trop simple. Mais je crois que se marier, faire un bébé, c'est plus facile quand le couple est très jeune, qu'on ne se connaît pas encore si bien. Si on vit ensemble sans rien décider, le couple prend de l'âge, et après c'est plus dur de se remuer pour changer. Ce n'est plus l'enthousiasme des débuts.

— Alors, tu n'as pas envie de faire un bébé ?

Et là Clara se mit à pleurer.

— Je crois que je ne suis pas très en forme, dit-elle en reniflant... En ce moment, j'ai l'impression que le temps passe, que la vie va bientôt être finie... que je n'ai pas fait grand-chose d'intéressant. D'ailleurs, est-ce que je suis intéressante ?

De petites lumières rouges s'allumèrent dans le cerveau d'Hector : *lecture négative du passé, pessimisme, dévalorisation de soi.* Tous les psychiatres du monde savent que ces manières de voir les choses sont des signes que vous faites peut-être une grosse dépression. Et Hector se souvint aussi comme Clara avait l'air triste ces derniers temps, même quand elle se mettait de la crème anti-âge avant de se coucher.

Il la prit dans ses bras. Elle se laissa faire, et elle continua à pleurer contre son cou. Hector se sentait plein de tendresse pour elle et il s'en voulait beaucoup de ne pas s'être aperçu que Clara était peut-être déprimée depuis pas mal de temps.

Mais on sait bien que ce sont souvent les cordonniers les plus mal chaussés, et Hector connaissait des collègues qui s'étaient aperçus qu'il y avait un problème à la maison le soir où leur fille avait avalé une boîte de tranquillisants ou quand leur femme avait essayé de se pendre avec les rideaux. Quand vous êtes psychiatre et que vous rentrez à la maison, c'est comme si vous retiriez vos lunettes de psychiatre, vous redevenez quelqu'un de pas tellement plus malin que la moyenne, et en plus, comme vous avez beaucoup écouté et parlé aux gens dans la journée, parfois vous êtes tellement fatigué que vous n'avez pas envie d'écouter même les gens que vous aimez, et ça peut les rendre assez malheureux.

Hector pensa qu'il fallait vite que Clara rencontre un psychiatre en qui il avait confiance : le vieux François, parce que lui saurait voir si elle était déprimée ou si c'était juste un coup de cafard.

En attendant, il écoutait Clara renifler dans son cou en lui disant qu'elle avait l'impression que le temps avait passé trop vite, que tout lui paraissait fini, et Hector se demandait ce qui était le pire : ne pas voir passer le temps, ou trop penser qu'il passait.

Hector et le Royaume des Cieux

La veille de son départ pour la Chine, Hector reçut dans son bureau quelques patients qu'il voulait voir avant de partir en voyage.

Il tenait à savoir s'ils allaient assez bien pour supporter de ne pas le voir pendant quelque temps, s'il fallait qu'il les envoie vite à un de ses collègues, ou même qu'il les envoie se reposer dans un endroit calme avec des messieurs et des dames en blanc très gentils.

D'abord, Roger.

Roger était un grand costaud à l'air pas commode, mais pas du tout méchant au fond. Le problème, c'était que Roger depuis presque toujours croyait que Dieu (et parfois le diable) lui parlait à lui, personnellement, Roger. Et même, il entendait des voix dans sa tête, et souvent il leur répondait à haute voix, et cela surprenait un peu les gens qu'il croisait dans la rue. Roger n'était pas méchant du tout, mais il pouvait vite se fâcher tout rouge quand les gens se moquaient de lui ou surtout du Bon Dieu. Du coup, dans sa vie, il avait passé pas mal de temps à l'hôpital psychiatrique avec tous les jours assez de médicaments pour endormir un cheval ou plusieurs poneys si vous préférez.

Mais, depuis quelques années, Hector avait réussi

à dire à Roger de garder ses pensées pour lui, qu'il pouvait en discuter seulement avec lui, Hector, et d'autres personnes qu'il aimait bien. Roger allait beaucoup mieux ou, en tout cas, il prenait moins de médicaments et n'avait plus trop besoin d'aller à l'hôpital.

— Alors, vous allez partir ? demanda Roger.

— Oui, mais pas très longtemps, deux ou trois semaines au maximum.

— On ne sait jamais, dit Roger.

— On ne sait jamais quoi ? demanda Hector.

— Nous ne savons ni le jour ni l'heure... Nous sommes dans la main du Très-Haut...

Hector fut un peu inquiet car, quand Roger commençait ainsi ça pouvait durer longtemps, et il avait encore d'autres rendez-vous tout le reste de l'après-midi. Il eut une idée.

— Dites-moi, Roger, que pensez-vous du temps qui passe ?

Roger fronça les sourcils, ce qui était assez impressionnant, mais Hector savait que c'était parce qu'il réfléchissait. Finalement, il dit :

— Ce n'est pas le temps qui passe... c'est nous qui passons.

Hector trouva ça très bien, comme réflexion.

— Je l'ai lu, dit Roger... Ou je l'ai entendu...

Hector vit que Roger commençait à se concentrer sur ses voix. Alors il lui demanda :

— Et de savoir que nous passons, que nous vieillissons, qu'est-ce que cela vous fait ?

— Cela nous rapproche du Royaume des Cieux,

dit Roger. Alors, le temps finira, et l'éternité commencera !

Roger avait l'air très heureux de penser au Royaume des Cieux.

— Donc, vieillir ne vous fait pas peur ? Vous n'avez pas envie de ralentir le temps ?

Roger eut l'air un peu choqué par l'idée de vouloir ralentir le temps.

— Mais le temps n'appartient qu'à Dieu ! dit-il.

Hector se dit que Roger n'avait peut-être pas toute sa tête, comme on dit, mais d'un autre côté il avait l'air beaucoup plus content avec le temps que la plupart des gens qu'il connaissait. Si seulement Roger avait pu parler de tout ça plus calmement, pensait Hector.

Plus tard il nota dans son carnet :

Exercice de temps n° 14 : Pensez que vieillir vous rapproche peut-être du Royaume des Cieux (ou du nom de l'endroit dans votre religion).

Bien sûr, certaines personnes pouvaient penser que ça les rapprochait de l'Enfer, mais en général pas celles qui l'auraient vraiment mérité.

Hector est psychiatre pour chiens

Sa secrétaire dit à Hector que quelqu'un avait demandé un rendez-vous en urgence.

C'était Fernand avec son chien.

— J'ai un problème, expliqua Fernand. Quand je le laisse seul à la maison, il hurle, il fait pipi partout, il mange les pieds du canapé.

En regardant ce chien si calme et si bien élevé, il paraissait impossible de l'imaginer se conduisant aussi mal.

— Vous pensez que c'est pour me punir de m'absenter ? demanda Fernand.

— Non, dit Hector. C'est parce que quand vous partez et qu'il se retrouve seul, il ne peut pas savoir si ce n'est pas pour toujours. C'est une réaction de panique.

Hector a l'air très malin comme ça pour comprendre aussi vite le chien de Fernand, mais c'est parce qu'il avait rencontré des vétérinaires spécialistes de la psychologie des chiens, et plus ces gens étudiaient les chiens, plus ils trouvaient qu'ils ressemblaient aux gens ou aux enfants.

— Votre chien ne peut pas imaginer l'avenir, dit Hector. Il ne vit que dans le présent, ou alors dans un futur très immédiat.

— C'est vrai, dit Fernand, quand il m'entend préparer sa gamelle, il sait qu'il va manger. Ou quand je vais prendre la laisse, il remue la queue car il sait qu'on va sortir.

— Voilà, dit Hector. Ça, c'est du futur immédiat. Mais il ne se pense pas dans l'avenir. Il vit dans un présent éternel.

Fernand regarda son chien. Et puis il dit :

— En voilà au moins un qui ne compte pas sa vie en chiens…

Hector prescrivit un médicament contre l'angoisse des gens au chien de Fernand. En fait, c'était un médicament contre la dépression, parce que c'est justement un peu le sentiment d'être abandonné. Donc, le médicament marchait aussi contre l'angoisse d'abandon.

Ensuite, cette consultation fit réfléchir Hector. Les animaux ne vivaient pas dans l'avenir ni dans le passé. Cela leur évitait bien des soucis, comme de penser à la durée de leur vie. D'un autre côté, quand le présent se passait mal, toutes ces braves bêtes ne pouvaient pas l'améliorer avec l'espoir d'un avenir meilleur ou avec les bons souvenirs d'un passé heureux. L'enfer du présent paraissait éternel, sans début ni fin.

Si on donnait aux gens la liberté de choisir, préféreraient-ils vivre comme des bêtes ? D'ailleurs, toutes les personnes qui disaient qu'il fallait toujours vivre dans l'instant présent, sans se tracasser de l'avenir ni ruminer le passé, ne conseillaient-elles pas de penser comme des vaches ? Pourtant, certaines s'appelaient « philosophes », ce qui veut dire, si vous ne vous en souvenez pas, « ceux qui aiment la sagesse ».

La sagesse des vaches ? L'absence de souci des vaches ? Leur être-vache-au-monde, aurait dit un philosophe avec une petite moustache tellement difficile à comprendre que même les gens qui écrivaient des livres sur lui n'étaient pas d'accord sur ce qu'il avait voulu dire. Encore des questions pour le vieux François.

Hector nota :

Exercice de temps n° 15 : Imaginez que vous êtes une vache. Vous ne vous souvenez pas que vous avez été petite. Vous ne savez pas que vous allez mourir. Seriez-vous plus heureux ? À choisir, préféreriez-vous être une vache ? Ou alors un autre animal ? Lequel ?

Hector se souvenait aussi qu'un autre philosophe, celui-là avec une énorme moustache, avait justement écrit que les vaches avaient bien de la chance de vivre dans un éternel présent sans être trop encombrées de souvenirs. Il pensait que le seul moyen d'être vraiment fort ou heureux dans la vie, c'était d'être capable d'oubli ! Ce qui était étrange et terrible, c'est que, plus tard, ce philosophe était mort d'une maladie qui supprimait les souvenirs et même les pensées dans sa tête !

Hector était en train de réfléchir à quel animal il aurait aimé être. Un goéland ? Un dauphin ? Mais sa secrétaire lui dit que Marie-Agnès attendait dans la salle d'attente.

Hector et le temps perdu

— J'en ai trouvé un plus fou que moi, annonça Marie-Agnès à Hector.

— Plus fou que vous ?

— Oui, absolument !

Et Marie-Agnès partit d'un petit rire qui montrait ses très jolies dents toutes blanches (elle les faisait nettoyer très souvent). Elle expliqua qu'elle avait trouvé un monsieur assez important qui était très amoureux d'elle.

C'était plutôt une bonne nouvelle.

— Il a presque vingt ans de plus que moi, dit Marie-Agnès.

— Et alors ? dit Hector.

— Oh, il ne les paraît pas du tout ! Et puis moi, ça ne me pose pas de problème.

— Alors, où est le problème ? dit Hector.

Marie-Agnès avait apporté une photocopie de l'agenda du monsieur. Toutes les pages étaient très remplies, avec des choses comme « Assemblée générale » ou « Arrivée à Munich » ou « Comité exécutif ». Et puis, en bas de chaque journée, il y avait une petite ligne. Hector lut : *Temps perdu : 35 minutes. Temps restant : 7 456 jours.*

— Les trente-cinq minutes, c'est le temps qu'il estime avoir perdu ce jour-là. Une bonne journée pour lui, c'est quand il arrive à moins de dix minutes.

— Et les 7 456 jours ?

— C'est le nombre de jours qu'il pense qu'il lui reste à vivre.

Marie-Agnès expliqua que le monsieur – il s'appelait Paul – avait fait faire des calculs : on pouvait savoir le temps qui vous restait *probablement* d'après l'âge auquel mouraient les membres de votre famille, votre tension artérielle et d'autres choses que connaissent les docteurs.

Donc, Paul avait trouvé ses propres exercices de temps ! Il réalisait tous les jours que son être-au-monde, comme aurait dit le philosophe à la petite moustache, allait bientôt finir, en un mot qu'il allait mourir un jour. Hector aurait bien aimé rencontrer Paul pour voir si cette pensée l'aidait vraiment.

— J'aurais bien voulu qu'il vienne vous voir avec moi aujourd'hui et qu'on parle ensemble, mais il n'avait pas le temps !

De toute façon, Hector n'avait pas beaucoup de temps non plus car il fallait qu'il parte pour la Chine. Partir pour la Chine ? vous allez demander. En laissant Clara toute seule, et déjà très triste ? Justement, il avait pensé rester quelque temps, attendre qu'elle aille mieux avant de partir. Mais quand il avait dit à Clara qu'il allait retarder un peu son voyage, elle lui avait répondu que non, surtout pas, il fallait qu'il s'en aille tout de suite en Chine, autrement elle aurait l'impression que c'était sa faute s'il ne retrouvait pas le vieux moine.

— Mais quand même… dit Hector.

Alors là, Clara eut une idée très gentille et très maligne. (Vous comprendrez pourquoi Hector l'aimait tant.) Elle dit à Hector que peut-être le vieux moine lui expliquerait bien des choses sur le temps qui passe, et quand Hector reviendrait, il pourrait les lui raconter à elle, Clara, et peut-être que ça l'aiderait beaucoup. Et ça rappela aussi à Hector ce qu'avait dit le chamane inuit.

Alors, Hector partit pour la Chine, en pensant beaucoup à Clara.

Hector prend de la hauteur

Dans l'avion, il y avait un petit écran de télévision contre la cloison, et Hector pouvait lire :

Heure au point de départ : 16 heures
Heure au point d'arrivée : 23 heures
Temps restant : 11 heures
Heure d'arrivée estimée : 8 heures

Ça rappelait cette chose très étrange, que les hommes n'avaient comprise que très tard : l'heure n'est pas la même aux différents endroits du monde ; parce que la Terre est ronde et tourne sur elle-même juste en face du Soleil, un peu comme une danseuse un peu rondelette qui tournerait devant un feu de bois. Et donc, midi, quand on est juste en face du Soleil, les différents habitants du monde l'ont à tour de rôle, de même que la danseuse ne peut pas se réchauffer de tous les côtés en même temps.

Dans les toilettes, Hector eut une idée (il avait souvent des idées aux toilettes) : s'il n'y avait eu aucune horloge dans l'avion, aurait-il pu mesurer le temps qui passe ? Il aurait pu en se repérant sur le moment où les hôtesses servaient le petit déjeuner, le déjeuner et le dîner, ou alors essayer de voir à quoi ressemblaient les différents paysages que l'avion survolait. Mais s'il avait été tout seul dans l'avion, et que tous les hublots aient été fermés, s'il n'avait rien pu voir bouger ni à l'intérieur de l'avion ni à l'extérieur ou s'il s'était enfermé dans ces toilettes ? Hector aurait pu connaître le temps qui passe en comptant les battements de son cœur, mais cela aurait été encore parce que quelque chose bougeait. Et s'il avait été attaché sans pouvoir se prendre le pouls, comme le font les docteurs ? Il aurait quand même senti le temps passer, en sentant ses pensées défiler dans sa tête. Mais là encore, parce que ça bougeait. Ça correspondait d'ailleurs à de petites molécules qui s'agitaient dans sa tête. Il se dit qu'il avait bien réfléchi. Il quitta les toilettes, retrouva sa place, prit son petit carnet et nota :

Exercice de temps n° 16 : Concentrez-vous et prenez conscience qu'il n'y a pas de temps sans mouvement, ni de mouvement sans temps. Le temps, c'est la mesure du mouvement.

Hector se relut mais, tout à coup, il ne comprit plus très bien ce qu'il avait voulu dire. La pensée avait déjà bougé dans sa tête et n'était plus très claire.

Brusquement, il se souvint de ce qu'avait dit le vieux François : « Le temps, c'est le nombre du mouvement selon l'antérieur-postérieur. Aristote. » Il fallait qu'il lise Aristote, ou plutôt qu'il le relise car il se souvenait qu'il en avait lu des bouts au lycée. Il recommença à réfléchir, mais pas très longtemps parce c'était l'heure du déjeuner et l'hôtesse installa devant lui un plateau avec plein de bonnes choses.

Enfin, pas si bonnes, car cette fois Hector voyageait dans la partie la moins chère de l'avion et ses genoux commençaient à lui faire des reproches. Il se dit que le temps allait lui paraître bien long, un peu comme la nuit passée dans la tente d'Édouard, mais tiens ! il allait prendre le temps de penser à Clara et à tout ce qu'il pourrait faire quand il reviendrait pour qu'elle soit plus heureuse.

Hector parle à son voisin

À côté d'Hector dans l'avion, il y avait un monsieur chinois avec des petites lunettes rondes qui lisait un journal en chinois. C'était un monsieur très poli : quand son coude avait touché celui d'Hector la première fois, il l'avait aussitôt retiré de l'accoudoir et, comme Hector était assez poli lui aussi, il avait fait la même chose, et maintenant ils gardaient tous les deux le coude le long du corps et l'accoudoir entre eux restait vide. Le monsieur chinois avait l'air assez âgé, mais Hector remarqua qu'il avait les cheveux teints. Donc, la maladie de la peur du temps qui passe était bien ce que les docteurs appellent une pandémie, c'est-à-dire qu'elle se trouvait partout dans le monde. Et ce n'était pas demain qu'on inventerait le vaccin contre elle ! pensa Hector en soupirant.

L'hôtesse vint lui demander s'il préférait des crevettes avec des nouilles ou du canard avec des légumes, et Hector choisit les crevettes, car il pensait qu'il aurait été capable de tuer lui-même des crevettes (il suffit de les sortir de l'eau), mais certainement pas un canard qui est capable d'éprouver de la peur, de la joie et de la peine un peu comme vous. Il peut même s'attacher à vous comme un petit chien si vous le prenez très tôt quand il sort de l'œuf, alors qu'avec les crevettes, vous serez toujours déçu.

L'hôtesse était jolie comme une hôtesse, mais elle avait l'air un peu grognon, comme si elle en avait eu assez de son travail et de demander aux gens des dizaines de fois : « Crevettes ou canard ? » Hector une fois de plus pensa qu'il avait beaucoup de chance de faire un travail qui était un peu différent tous les jours. Car si *la vie intense fait paraître le temps court et les années longues*, au contraire plus vous faites un travail toujours pareil, plus vous risquez de vous ennuyer et les années passeront plus vite. Il espérait que l'hôtesse aurait une promotion, ou qu'elle trouverait un bon mari, ou alors un nouveau travail qui lui paraîtrait plus excitant, en tout cas au début.

Hector pensa aussi qu'il aurait pu essayer de la distraire en commençant une conversation avec elle, mais il se souvint de Clara qui pleurait contre son cou, et ça lui ôta l'envie. Cela prouvait encore que même si le passé n'existe plus, il laisse des traces ; donc il existe quand même un peu au présent. Et à l'intérieur d'Hector, quelques traces portaient le nom de Clara.

Il jeta un coup d'œil au journal en chinois du monsieur, et que vit-il ? Vous avez deviné : encore une photo du vieux moine en train de rigoler ! Mais c'était bizarre, car il y avait aussi une autre photo de lui en moine, mais comme prise il y a bien longtemps, avec autour de lui des messieurs et des dames chinois habillés comme autrefois – un peu comme ceux qu'on voit dans *Le Lotus bleu*, l'album de Tintin qu'Hector préférait.

Et pourtant, sur la photo, on aurait dit que le vieux moine était presque aussi vieux qu'aujourd'hui. « Sans doute une photo de son père », pensa Hector.

116

Il demanda très poliment au monsieur chinois de quoi parlait l'article sur le vieux moine, et le monsieur lui répondit en assez bon anglais qu'il avait disparu.

Hector dit que ça, il le savait déjà, que c'était dans les journaux de son pays depuis quelques jours, avec la grosse dispute entre la Chine et les autres pays qui disaient que c'était la faute de la Chine si le vieux moine avait disparu.

— Oui, dit le monsieur chinois, mais il y a du nouveau.

Il expliqua à Hector que, pendant longtemps, on avait cru que le vieux moine était le fils d'un autre vieux moine célèbre, et puis, on s'était aperçu que non, le vieux moine n'était pas le fils d'un autre vieux moine, mais lui-même, son père, enfin pas son père puisqu'il n'avait pas de fils. Pour être plus clair, c'était le même vieux moine du début à la fin, pas un père et un fils. Et dès que des gens avaient commencé à s'en apercevoir et à en parler, le vieux moine avait disparu.

— Et aujourd'hui, ça lui ferait quel âge ? demanda Hector.

— Cent vingt, cent trente ans, dit le monsieur chinois en regardant Hector derrière ses petites lunettes rondes, avec un sourire qui était presque un sourire d'excuse pour dire des choses aussi bizarres à un Occidental.

Hector comprit pourquoi le vieux moine était si sage : il avait vraiment eu le temps de bien comprendre les choses.

Hector et la chanson du temps

Hector retrouva la ville chinoise au bord de la mer et au pied de la montagne. Il retrouva l'odeur de la mer, les grandes tours brillantes comme des lames de rasoir – il en avait poussé de nouvelles depuis qu'il était venu – et, bien sûr, la montagne sur laquelle il était parti un jour dans un petit train, puis en marchant encore plus haut, où il avait découvert un jour le monastère du vieux moine.

Son hôtel n'était pas le même que la dernière fois. Il l'avait fait exprès, car il n'aurait pas voulu que la chambre lui rappelle trop de souvenirs – comme celui de la gentille Chinoise, Ying Li, en train de chantonner le matin dans la salle de bains. Du coup, Hector se sentait un peu seul, car maintenant son ami Édouard n'était plus dans cette ville, mais chez les Inuits, le vieux moine avait disparu, et il se demandait si c'était une bonne idée d'appeler la seule autre personne qu'il avait connue dans cette ville, Ying Li justement.

Il sortit dans la rue, et se retrouva au milieu de quantité de Chinois et de Chinoises, presque tous habillés comme pour aller au bureau car on était tôt le matin, et en plus c'était une partie de la Chine où les gens travaillaient beaucoup dans des bureaux et pas du tout dans les champs. Tous ces gens avaient l'air très pressés, et c'est tout juste si Hector ne se faisait pas bousculer sur les trottoirs où tout le monde était un peu serré. Pas de doute, même si les gens d'ici pouvaient ressembler un peu à des Inuits (après tout, c'étaient de lointains cousins), ils avaient complètement basculé dans le temps des Blancs et ils avaient maintenant une horloge dans le ventre, eux aussi. D'un autre côté, ça leur faisait gagner beucoup plus d'argent que les autres Chinois de Chine, et ils pouvaient avoir de meilleurs appartements ou envoyer leurs enfants à l'école plus longtemps. Ce qui permettrait à ces chers petits plus tard de gagner à leur tour plus d'argent et ainsi de suite... Il paraissait vraiment impossible de revenir au temps des Inuits. D'ailleurs, même eux avaient envie d'en sortir.

Au pied des grandes tours, Hector retrouva la petite gare et les wagons en bois du petit train qui allait jusqu'en haut de la montagne. Il y avait encore un vieux Chinois à casquette qui vendait les billets et qui lui sourit comme s'il le reconnaissait. Hector attendit dans le petit train le moment du départ. À cette heure-ci, il n'y avait encore personne, et puis si, un couple de touristes vint s'asseoir en face de lui.

C'étaient des gens âgés qui venaient d'un pays pas loin de celui d'Hector, avec encore une reine, et à qui avait appartenu cette ville de Chine pendant pas mal d'années. Leurs cheveux à tous les deux étaient blancs comme ceux du vieux François, leurs yeux bleu pâle et ils bougeaient un peu lentement comme les gens âgés, mais ils étaient souriants avec l'air très heureux. Ils dirent gentiment bonjour à Hector en s'asseyant en face de lui.

Hector était content de voir des gens qui avaient l'air aussi heureux de vivre et de s'aimer toujours après sans doute beaucoup d'années passées ensemble, et à qui il restait sans doute à peine un chien à vivre, comme aurait dit Fernand. Ils allaient peut-être lui donner de bonnes idées sur les exercices de temps qui pourraient aider pas mal de gens. Parce que le problème en psychiatrie, c'est qu'on étudie surtout les gens qui vont mal, alors que si on étudiait un peu plus les gens qui vont très bien, ça donnerait peut-être de bonnes idées pour aider les autres.

D'un autre côté, Hector savait qu'il y avait aussi des gens doués pour le bonheur et qui n'avaient pas grand-chose à en dire, un peu comme quelqu'un qui chante très juste, mais qui ne peut pas vous expliquer comment il fait.

Le train commença à bouger lentement en grinçant, car il était accroché à des câbles un peu comme un ascenseur. La pente aurait été bien trop forte pour un train normal.

Peu à peu, le train dépassa le niveau des immeubles et se retrouva dans la forêt, qui ressemblait à une jungle, et c'était bizarre de trouver une forêt si sauvage si près d'une ville si civilisée.

Le train sortit de la forêt et la vue devint magnifique, on voyait la mer au loin sombre comme du plomb par endroits, brillante à d'autres sous le soleil entre les nuages, et puis des îles, d'autres montagnes au loin et la plus grande partie de la Chine.

Le vieux monsieur et la vieille dame se montraient toutes ces merveilles en disant : *How beautiful* ou *Look at this, darling,* comme si chacun voulait être sûr que l'autre ne manque rien du spectacle.

Hector leur demanda si c'était la première fois qu'ils venaient. Et le vieux monsieur répondit que non ; depuis leur retraite, ils étaient revenus dans leur pays, mais ils avaient vécu dans cette ville bien des années, quand elle appartenait encore à leur pays justement. Ils aimaient y revenir tous les ans et, chaque fois, ils trouvaient le paysage toujours aussi merveilleux.

Trevor et Katharine – c'étaient leurs prénoms – avaient été tous les deux professeurs, Katharine avait enseigné le dessin, et Trevor les grands écrivains et les poètes. Certains de leurs élèves en avaient gardé un bon souvenir et continuaient de leur envoyer des cartes de vœux tous les ans.

— On serait bien restés ici, dit Katharine, mais nous voulions voir souvent nos enfants et nos petits-enfants.

— Et puis, ce n'est plus pareil, dit Trevor, même si c'est toujours merveilleux.

Et en quoi ce n'était plus pareil ? demanda Hector.

— La ville a changé… dit Trevor.

— C'est surtout nous qui avons changé, *darling* ! dit Katharine.

Et cette réflexion les fit rire tous les deux, alors qu'elle n'était pas si gaie, au fond. Hector se dit que ces deux-là chantaient très juste la chanson du temps.

Hector se fait des amis

Trevor et Katharine continuèrent à parler avec Hector. Quand le train arriva au sommet, ils descendirent tous ensemble et ils se mirent à marcher sur la route au milieu des belles montagnes chinoises. Hector faisait attention à marcher très doucement pour ne pas les fatiguer. En parlant avec eux, il s'aperçut qu'eux aussi, ils avaient connu le vieux moine !

— Il était très célèbre ici, dit Trevor. Quand il est revenu après toutes ces années passées là-bas…

Et Trevor désigna à l'horizon la plus grande partie de la Chine, où il ne s'était pas passé que des choses amusantes pour les moines à une certaine époque.

— On venait jusqu'au monastère prendre le thé avec lui, dit Katharine. Je voulais l'inviter à la maison, mais il s'excusait en nous disant qu'il préférait qu'on vienne le voir au monastère, qu'à son âge il ne voulait plus aller en ville, que tout allait trop vite pour lui. Il disait que, dans son monastère, il pouvait oublier que les choses avaient tellement changé.

Tiens, pensa Hector, le vieux moine aurait-il eu aussi des problèmes avec le temps qui passait ?

— Et son âge ? demanda Hector.

— Ah, toute cette histoire… dit Trevor.

— De toute façon, si c'est vrai, dit Katharine, on n'est quand même pas assez vieux pour l'avoir connu jeune !

Et tous les deux eurent encore un petit rire très charmant.

Ils arrivèrent en vue du monastère, avec ses jolis toits recourbés à la chinoise et ses petites fenêtres carrées.

Mais ce n'était plus tranquille comme la dernière fois, car il y avait des voitures arrêtées devant, pas mal de gens qui avaient l'air d'attendre de pouvoir entrer dans le monastère, et même des camionnettes de différentes chaînes de télévision. Et aussi quelques policiers en uniforme qui se tenaient devant la porte du monastère, pour éviter que trop de gens essaient d'y entrer et viennent embêter les moines.

Près d'une camionnette de télévision, une dame qui avait l'air chinoise parlait devant une caméra avec un micro. Son anglais était aussi parfait que celui de Katharine et sa coiffure ne bougeait presque pas du tout dans le vent.

— Le représentant des moines nous a répété qu'il n'avait pas de commentaires à faire, disait-elle.

Hector vit derrière elle dans la camionnette un grand écran de télévision où on la voyait sur une moitié de l'écran, tandis que sur l'autre moitié on apercevait un présentateur aux cheveux gris et à l'air calme, assis dans un bureau qui devait se trouver très loin. Le présentateur demanda à la dame, qu'il appelait Jennifer, si on n'avait pas d'autres nouvelles du vieux moine. Jennifer lui dit non, John, mais elle précisa qu'elle se trouvait justement devant le monastère où vivait le vieux moine avant qu'il ne disparaisse. Puis, John rappela aux spectateurs qu'ils se parlaient, Jennifer et lui, en direct et que justement Jennifer se trouvait devant le monastère du vieux moine. Et Jennifer répondit qu'en effet, elle se trouvait là et que tout le monde se demandait ce qu'était devenu le vieux moine. Et ils continuèrent à se parler comme ça à distance pour ne rien dire. Mais comme la disparition du vieux moine et l'âge qu'on lui donnait étaient un grand événement, il fallait bien qu'ils se parlent toutes les heures assez longtemps, et Hector se dit que ce devait être assez difficile et ennuyeux pour eux, un peu comme demander « canard ou crevettes ? » des centaines de fois. Le temps devait leur paraître très long, car si la durée est un jaillissement ininterrompu de nouveauté, comme avait dit un philosophe dont se souvenait vaguement Hector, de la nouveauté, il n'y en avait pas beaucoup pour Jennifer et pour les gens qui la regardaient partout dans le monde. La télévision allait très vite d'un endroit du monde à l'autre – pas loin de la vitesse de la lumière – et tout ça pour faire paraître le temps très long à ceux qui la regardaient !

Hector eut une idée. Il se doutait bien que le vieux moine n'était plus dans le monastère, car des gens l'auraient forcément découvert, y compris la police chinoise qui avait intérêt à le retrouver pour qu'on arrête d'embêter la Chine. D'un autre côté, presque partout dans le monde, on regardait la télévision, dans les grands hôtels du monde, mais aussi sous des huttes ou dans des tentes partout ailleurs. Et il venait de trouver le moyen de faire comme un signe au vieux moine.

Hector s'excusa auprès de Trevor et de Katharine, et pendant que Jennifer continuait de parler courageusement pour ne rien dire, il alla expliquer à des jeunes Chinois de son équipe qu'il avait bien connu le vieux moine, parce qu'il était psychiatre spécialiste du temps et qu'il lui avait souvent rendu visite, puisque le vieux moine en connaissait un rayon, sur le temps.

Hector passe à la télé

C'est ainsi qu'Hector passa trois minutes à la télévision presque partout dans le monde, avec en fond les belles montagnes chinoises toutes vertes qu'il aimait tant. Il expliqua qu'aujourd'hui, tout le monde semblait de plus en plus tracassé par le temps qui passe et se posait des questions. Et il pensait que le vieux moine avait sûrement des réponses à ces questions.

— Quelle question par exemple ? demanda Jennifer.

— Vaut-il mieux lutter contre le temps en essayant de rester jeune très longtemps, ou bien accepter qu'il passe, accepter son âge ? dit Hector.

Jennifer arrivait à rester toujours calme et sérieuse, mais Hector sentit bien que sa question lui avait fait un petit coup. Il s'en voulait de ne pas avoir été plus malin, c'était peut-être encore un effet de la bière de lichen. Il venait d'apercevoir au coin des yeux de Jennifer les fameuses petites rides dont parlait Clara. Elle devait commencer à s'inquiéter quand elle passait à la télé, en pensant à l'arrivée de la concurrence, à toutes les petites jeunettes qui voulaient sa place. Tandis que le présentateur aux cheveux gris, pas du tout. C'est une bien grande injustice : pour les hommes, un peu de rides, ça ne fait pas peur aux femmes, et même certaines ça leur plaît, alors que les rides chez les femmes, ça ne fait pas du tout le même effet aux hommes. C'est une des choses qui faisaient douter Hector de l'idée que la nature était bien faite, comme le pensaient certaines personnes qui croyaient que tout ce qui était naturel était merveilleux.

Jennifer remercia beaucoup Hector, et il vit sur l'écran que John avait l'air content aussi. C'était un peu comme si en plus de « canard ou crevettes ? », il leur avait permis d'ajouter un plat au menu : « Canard, crevettes ou rizotto de fruits de mer ? »

— Bravo, vous avez été très bien, dit Trevor.

— Ah oui ! dit Katharine. Enfin, nous, nous ne nous sommes jamais trop posé cette question : vaut-il mieux lutter contre le temps ?...

Trevor et Katharine chantaient très juste la chanson du temps. Et pourtant, ils ne s'étaient jamais posé de questions sur le sujet. Hector voulait absolument comprendre pourquoi.

Hector chante en haut de la montagne

Trevor, Katharine et Hector se retrouvèrent dans un petit café non loin du sommet de la montagne. Hector était bien content car ils allaient sûrement lui apprendre quelque chose sur le temps qui passe. En même temps, il faisait attention à ne pas leur poser de questions trop directes, comme : « Et qu'est-ce que ça vous fait de n'avoir plus qu'un chien ou même un demi-chien à vivre ? »

Mais il n'eut pas besoin de poser des questions, parce que Trevor et Katharine avaient envie de parler de leur expérience à Hector qu'ils avaient tout de suite bien aimé.

— En fait, dit Trevor, Katharine et moi ne voyons pas les choses de la même manière. Elle a la foi, mais pas moi.

— Et dire qu'après quarante-six ans de mariage, il n'a pas changé ! dit Katharine.

Hector se souvenait de tous les gens qu'il avait rencontrés et qui croyaient très fort au Bon Dieu. Il avait remarqué que cela aidait beaucoup d'entre eux à supporter de vieillir, et même de mourir, puisque si on croyait au Bon Dieu, on croyait donc que le monde dans lequel on était né n'était pas le plus important, mais qu'il en existait un autre plus important après (et peut-être avant, d'ailleurs).

Trevor, lui, arrivait à supporter de vieillir sans croire au Bon Dieu. Hector voulait vraiment savoir comment il y arrivait.

— Voilà, dit Trevor. Pour bien supporter le temps qui passe, il faut de la chance – et un peu de philosophie.

— De la chance ? demanda Hector.

Il se voyait mal en train d'expliquer à ses patients : « Ayez donc un peu de chance, et tout ira mieux ! »

— Oui, dit Trevor, avoir la chance que l'envie de faire des choses vous quitte en même temps que la possibilité de les faire. Par exemple, j'ai adoré jouer au tennis…

— C'était un grand joueur, dit Katharine, et même ça m'énervait un peu, car toutes les femmes du club lui tournaient autour.

— Mais, dit Trevor, avec la fatigue, les douleurs dans les genoux, l'envie de jouer m'a quitté. Je suis content de mes souvenirs, mais je n'ai aucun regret. Et j'ai l'impression que, dans ma vie, tout s'est toujours passé à peu près comme ça, l'envie s'en va et on ne regrette rien.

Trevor expliqua que quand la fin arriverait, il espérait qu'il aurait la même chance : se sentir fatigué de la vie au moment où il devrait la quitter.

— Bien sûr, dit-il, ce qui aide aussi, c'est d'être assez content de ce qu'on a vécu.

— Et puis de voir les enfants heureux, dit Katharine.

— C'est aussi de la chance, dit Trevor.

— Tu exagères, on y est quand même pour quelque chose, si les enfants sont heureux !

— C'est vrai, dit Trevor, surtout toi, ma chérie.

— Et la philosophie ? demanda Hector.

Trevor dit qu'il n'avait pas tellement lu de philosophie, mais qu'il avait retenu une phrase qui l'avait beaucoup aidé dans la vie : « Efforce-toi de changer ce qui peut être changé, accepte ce qui ne peut pas être changé, et fais la différence entre les deux. »

Trevor expliqua qu'on pensait que c'était un empereur romain du temps des Romains qui l'avait trouvée, car, en plus d'être un général qui gagnait des batailles, il était philosophe. Hector trouva cette phrase tellement belle qu'il se promit d'en faire un de ses petits exercices.

— Et puis, lire de la poésie, dit Katharine.

— Ah, c'est vrai, dit Trevor. Tenez.

Le temps s'en va, le temps s'en va ma Dame,
Las ! le temps non, mais nous nous en allons,
Et tôt serons étendus sous la lame,
Et des amours, desquelles nous parlons
Quand serons morts, n'en sera plus nouvelle :
Donc, aimez-moi, cependant qu'êtes belle…

Et, en disant ce dernier vers, Trevor prit la main de Katharine et l'embrassa.

Elle eut l'air émue, alors Hector prit le relais en chantonnant :

Quand nous chanterons le temps des cerises,
Et gai rossignol, et merle moqueur
Seront tous en fête !
Les belles auront la folie en tête
Et les amoureux, du soleil au cœur !...
Mais il est bien court, le temps des cerises
Où l'on s'en va deux, cueillir en rêvant
Des pendants d'oreilles...
Cerises d'amour aux robes pareilles,
Tombant sous la feuille en gouttes de sang...
Mais il est bien court le temps des cerises,
Pendants de corail qu'on cueille en rêvant !...

Katharine et Trevor applaudirent, et puis Katharine commença à chanter d'une voix soudain très jeune :

As time goes by...
It's still the same old story
A fight for love and glory
A case of do or die.
The world will always welcome lovers
As time goes by.
Oh yes, the world will always welcome lovers
As time goes by...

Cette fois-ci, c'est Trevor qui eut l'air ému.

Plus tard, dans le petit train du retour, Hector nota :
Exercice de temps n° 17 : Faites une collection de
beaux poèmes sur le temps qui passe. Apprenez-les par cœur

131

et récitez-les avec des amis plus vieux et plus jeunes que vous.

Mais il n'oubliait pas la philosophie de Trevor et le général romain.

Exercice de temps nº 18 : Passez-vous du temps à essayer de changer ce qui peut être changé ? Essayez-vous d'accepter ce qui ne peut pas l'être ? Passez-vous du temps à faire la différence entre les deux ? Essayez de pouvoir répondre souvent oui à ces trois questions.

En tout cas, pensa Hector, s'il y avait bien une chose qu'on ne pouvait changer, c'était la fuite du temps. Alors, autant ne pas y penser trop souvent !

Hector et le temps retrouvé

Bon, tout ça avait occupé Hector, mais il savait bien qu'il allait finir par appeler la gentille Chinoise qu'il avait connue il y a longtemps, Ying Li.

Ils n'avaient passé que deux soirées et deux nuits ensemble, et puis la vie les avait séparés, comme on dit, mais Hector se sentait toujours ému quand il se souvenait de Ying Li un peu intimidée le premier soir où il l'avait invitée à dîner, toute gaie quand elle chantonnait le matin dans la salle de bains ou toute triste en train de pleurer dans ses bras dans un taxi la nuit.

Il décida de lui donner rendez-vous dans une cafétéria qui se trouvait au dernier étage d'un des musées de la ville. Comme ça, il se dit que cela ne leur rappellerait pas trop de souvenirs, puisqu'ils s'étaient toujours rencontrés la nuit, dans le genre d'endroits où on ne va que très tard.

Hector et Ying Li, c'était ce qui s'appelle un amour impossible, mais ça ne l'empêchait pas d'avoir laissé des souvenirs assez profonds chez Hector, et peut-être, se demandait-il, chez Ying Li. Enfin, il savait qu'elle s'était mariée à un gentil garçon du même pays qu'Hector et qu'elle venait d'avoir son deuxième bébé. Édouard était le parrain du premier. Et lui, Hector, il aimait Clara bien sûr ! Donc, c'était un amour encore plus impossible qu'au début, puisque Hector et Ying Li étaient heureux tous les deux.

Mais quand il l'aperçut arriver dans le grand café où il l'attendait, il se sentit tout retourné.

De loin, c'était exactement la même Ying Li que dans son souvenir, aussi belle et fine et charmante. Quand elle lui sourit, il vit qu'elle avait l'air émue. En s'asseyant, elle baissa les yeux d'un air intimidé exactement comme la première fois, ses joues étaient toutes roses, et Hector sentit que les siennes aussi l'étaient.

Et puis, Hector vit que le temps avait passé pour Ying Li aussi, qu'elle s'était un peu arrondie et que les fameuses petites rides avaient commencé d'apparaître si vous les cherchiez vraiment. Ying Li aussi devait voir ses premiers cheveux gris et ses petites rides à lui.

Hector voulut dire à Ying Li qu'elle était toujours aussi belle, car il le pensait mais, en même temps, il se dit que ce n'était peut-être pas une chose à dire à une femme mariée. Mais, finalement, il le dit quand même, et il vit que cela fit plaisir à Ying Li, surtout qu'elle avait déjà dû lire dans son regard qu'il la trouvait toujours aussi belle, malgré le passage du temps, ce qui prouve qu'Hector éprouvait encore de l'amour pour Ying Li, et non pas le simple désir pour sa beauté éphémère.

Alors ils commencèrent à se parler.

Mais que se dirent-ils ? Des choses très simples, que se disent les gens qui s'aiment toujours, même si chacun des deux aime aussi une autre personne qui l'aime et avec qui il restera. Ils se donnèrent des nouvelles. Hector voulut savoir comment allait le bébé et elle allait très bien, car c'était une petite fille.

Ying Li voulut savoir si Hector s'était marié avec Clara et il dit que bientôt sans doute. Et Ying Li sourit à nouveau et lui dit qu'elle le souhaitait pour lui, car le bonheur, c'était quand même de se marier et d'avoir des enfants, maintenant elle le savait, et elle aurait voulu qu'Hector connaisse ça aussi. Hector demanda des nouvelles de son fils qui devait avoir pas loin de 6 ans maintenant, avait-il calculé. Justement, Ying Li dit qu'il était en train de visiter le musée en dessous avec une sœur de Ying Li et qu'ils allaient venir leur rendre visite.

Et en effet, une jeune dame qui ressemblait pas mal à Ying Li, mais en moins exceptionnelle, s'approcha tenant par la main un petit garçon.

Celui-ci avait l'air un peu chinois, mais pas complètement, et c'était normal puisque son papa était du même pays que celui d'Hector. Hector se souvenait qu'il s'appelait Eduardo, d'après le nom de son parrain, Édouard.

Ying Li dit à Eduardo de dire bonjour à Hector, et le petit garçon lui serra la main en le regardant d'un air étonné.

— Tu es déjà un grand petit garçon, dit Hector, qui trouvait Eduardo bien grand pour son âge.

Eduardo eut l'air de réfléchir, et puis il dit :

— On pourrait dire aussi que je suis déjà un petit grand garçon ?

— En effet, dit Hector. Et bientôt tu seras un grand garçon tout court.

— Je ne sais pas si je vais aimer, dit Eduardo.

— Pourquoi ?

— Parce que après, je serai vite un monsieur, et puis un jour un vieux monsieur, comme grand-père.

Petit Eduardo ne pensait pas du tout comme Petit Hector ! Il aurait plutôt voulu ralentir le temps. Hector savait que cela voulait dire qu'il était très heureux avec sa maman et son papa, et qu'il aurait voulu que ça dure pour toujours.

Ying Li dit qu'Eduardo se posait toujours pas mal de questions et réfléchissait beaucoup, mais qu'il était presque toujours content. La sœur de Ying Li se contenta de sourire parce qu'elle ne parlait pas anglais du tout.

Hector et Ying Li se parlèrent encore quelque temps. Ying Li aussi était allée voir le vieux moine avec Édouard, mais, depuis, elle non plus n'avait pas de nouvelles. Hector dit qu'il allait essayer de le retrouver. Ying Li répondit que cela lui ferait plaisir qu'Hector la rappelle s'il restait un peu plus longtemps dans cette ville ou la prochaine fois qu'il reviendrait. Hector dit que oui, bien sûr, mais en même temps, il se disait que mieux valait que lui et Ying Li ne se revoient pas trop souvent dans la vie, et il savait qu'au fond Ying Li le pensait aussi.

Et puis ils se dirent au revoir, et Petit Eduardo serra à nouveau la main d'Hector en disant : « Au revoir, Monsieur. » Et Hector les vit s'éloigner tous les trois, et Ying Li lui fit un dernier sourire et un petit au revoir de la main, et Hector se retrouva seul.

Il commanda un verre de vin rouge, il réfléchit un peu, et puis il prit son petit carnet et il nota :

Exercice de temps nº 19 : Rencontrez les enfants des femmes que vous ~~aimez~~ avez aimées quand vous étiez plus jeune.

Hector et le monsieur qui regardait les étoiles

Hector se disait qu'il allait peut-être rentrer, car il n'avait aucun signe du vieux moine, et ça ne servait pas à grand-chose de l'attendre. Et puis, il se souvint qu'Hubert, le monsieur qui regardait les étoiles, se trouvait dans le coin, c'est-à-dire que si vous continuiez en direction des montagnes chinoises, vous en trouviez de plus en plus hautes, et au sommet de l'une se trouvait un de ces gros télescopes tellement chers qu'il fallait plusieurs pays pour en acheter un, un peu comme quand on se met à tous les enfants pour faire un cadeau à maman pour la fête des Mères.

De la ville où il se trouvait, on pouvait aller directement dans presque tous les endroits du monde. Hector se retrouva dans un avion avec des caractères chinois écrits dessus, où l'hôtesse lui proposa cette fois du riz avec des crevettes ou des nouilles avec du canard, mais aussi des sortes de beignets cuits à la vapeur. Il n'y avait pas grand monde dans l'avion car, dans la région où il allait, les oiseaux avaient tendance à attraper un assez mauvais rhume, et donc les touristes préféraient aller dans d'autres endroits du monde, où il y avait des maladies beaucoup plus dangereuses pour les gens, mais dont Jennifer ne parlait pas tous les jours à la télévision.

L'aéroport dans lequel il arriva était très simple : une seule piste et un bâtiment en béton qui lui rappela ceux qu'on construisait quand il était petit. Il soufflait un vent terrible, tous les gens qui ressemblaient à des Chinois et à des Chinoises avaient des bonnets en fourrure, et Hector se promit d'en acheter un.

Il fut bien content de voir arriver Hubert dans une voiture qui lui rappela aussi celles de son enfance.

— Ça me fait plaisir d'avoir de la visite, dit Hubert. Parce que ne voir que des collègues, ça devient lassant à la longue.

Et Hector comprit Hubert, car lui aussi, après deux jours dans un congrès de psychiatrie, il n'avait plus qu'une envie : partir. Même si, un par un, il pouvait apprécier certains de ses collègues, en groupe, c'était un peu comme un énorme plat de pâtes qu'on n'arrive pas à finir.

Vous vous demanderez peut-être s'il était bien pour un psychiatre de rendre visite à son patient en dehors des heures de bureau. C'est sûr, cela peut se discuter. Mais Hubert, Hector ne le voyait pas dans une de ces thérapies qui dure des années et où le psychiatre doit rester très silencieux et mystérieux. Hector aidait plutôt Hubert à passer un moment difficile. Ça ressemblait plus à une relation entre un docteur normal et son patient. Alors, ça ne posait pas de problèmes pour la suite qu'Hector passe voir Hubert.

La voiture sortit de la ville assez vite. C'était facile, car elle n'était pas grande et il n'y avait pas non plus grand monde dans les rues à cause du froid et du vent. Ils commencèrent à grimper le long d'une petite route.

Le paysage était très beau, mais Hector avait du mal à l'apprécier car, de temps en temps, ils croisaient des camions grands comme des maisons qui dévalaient la route en sens inverse sans avoir l'air de faire trop attention à la voiture d'Hubert. Parfois, au fond d'un ravin, Hector apercevait la carcasse d'un camion avec les roues en l'air.

— On s'habitue, dit Hubert. Ici, les gens n'ont pas le même sens du risque que chez nous.

Il expliqua qu'il y a bien longtemps, les ancêtres des gens qui conduisaient les camions étaient montés sur leurs petits chevaux poilus et avaient conquis la moitié du monde. Donc, il était un peu normal que leurs descendants ne soient pas très peureux. Finalement, ils arrivèrent au pied d'un téléphérique, et les voilà dans une petite cabine qui se balançait un peu trop au goût d'Hector.

— Le télescope a bouffé tellement de crédits, dit Hubert, qu'ils ont été un peu à court de fonds pour le téléphérique.

Hector se dit qu'on imaginait que les astronomes avaient des vies très tranquilles à observer les étoiles. En fait, astronome, ça pouvait être presque aussi dangereux qu'astronaute, sinon qu'on tombait de moins haut, mais quand même d'assez haut pour se faire vraiment mal. Au sommet, cela rappela à Hector le camp d'Hilton et d'Éléonore : de petits bâtiments préfabriqués, et puis dans une sorte de très grosse bulle, le grand télescope qui regardait le ciel à travers une énorme fente. Et beaucoup d'antennes autour, comme de très grandes antennes de télé qui étaient là pour écouter la rumeur des étoiles.

— Vous arrivez au bon moment, dit Hubert. La semaine dernière, c'était l'enfer, on était en retard !

Hector regarda au loin l'immense paysage des cimes, l'infini du ciel au-dessus d'eux, et il se demanda par quoi on pouvait être pressé au sommet de cette montagne.

Hubert expliqua que chaque équipe d'astronomes dans le monde avait réservé un certain temps le télescope pour faire ses observations. Une autre équipe attendait pour venir à son tour sur la montagne. C'était un peu comme les patients qui prenaient rendez-vous avec Hector. Il ne fallait donc pas prendre de retard, sinon tout le monde aurait été décalé et les étoiles plus à la bonne place pour qu'on les regarde.

— Ensuite, il faut se presser pour présenter sa communication avant le prochain congrès mondial. On passe des nuits sur l'ordinateur…

Hector comprenait un peu mieux pourquoi la femme d'Hubert s'était envolée un jour.

Il se dit aussi que, décidément, les Inuits et quelques autres peuples de la Terre ne connaissaient pas leur chance de ne jamais être pressés.

Hector et le voyage dans le futur

— Bon, dit Hector, à force de regarder les étoiles, est-ce qu'on apprend quelque chose sur le temps ?

— Ça devrait peut-être apprendre la sérénité, dit Hubert, mais comme vous le savez, pas tellement.

Ils se promenaient sur un petit chemin pas loin du grand télescope, sous une magnifique nuit étoilée qui pouvait faire penser à Dieu. Hector se souvenait que le philosophe qu'il aimait bien, Pascal, avait dit face à ces mêmes étoiles infiniment lointaines : « Le silence éternel de ces espaces infinis m'effraie. » Et pourtant, il croyait en Dieu, Pascal.

Hubert expliqua différentes choses à Hector. Tout d'abord, dans l'Univers, tout était tellement loin que même à la vitesse de la lumière, il fallait un temps fou pour aller d'un endroit à un autre.

— Par exemple, dit Hubert, si le Soleil s'éteignait d'un seul coup, on ne s'en apercevrait que huit minutes plus tard. C'est le temps que met la lumière du Soleil pour nous parvenir. Et pourtant, c'est l'étoile la plus proche de nous !

— Et pour les autres, celles qui sont plus loin ?

— Certaines ont déjà disparu depuis des millions

d'années, dit Hubert. Mais le temps que la lumière nous arrive, on les voit comme elles étaient à l'époque.

Tiens, se dit Hector, alors on a trouvé une façon de remonter le temps.

— Si on partait très loin de la Terre plus vite que la vitesse de la lumière, on la verrait donc telle qu'elle était il y a des centaines ou des milliers d'années ?

— Oui, mais c'est impossible. Parce qu'on ne peut pas aller plus vite que la lumière. Au mieux, si on arrivait à s'éloigner à la même vitesse que la lumière, on verrait toujours la Terre exactement comme à l'instant de notre départ, et donc on n'aurait pas gagné grand-chose à partir.

— Pourquoi ne peut-on pas aller plus vite que la lumière ?

— Il y a plusieurs réponses. On est faits d'atomes assez lourds. Donc, on ne peut pas aller plus vite que la lumière qui, elle, n'a ni masse ni poids. On peut dire aussi que plus un corps va vite, plus il faut de l'énergie pour le faire aller plus vite, d'après la théorie de la relativité générale. Donc, quand on arrive à la vitesse de la lumière, il faudrait une énergie infinie pour aller plus vite, et personne ni rien ne dispose d'une énergie infinie.

Hector pensa que Roger aurait dit que Dieu a une énergie infinie et que seul Dieu aurait pu vous faire remonter le temps. D'ailleurs, il l'avait créé lui-même, selon différents philosophes qui croyaient en Lui.

— On ne peut donc pas remonter dans le passé ?

— Non.

— Et on peut voyager dans le futur ?

— Ah oui, dit Hubert.

Incroyable ! pensa Hector. On pouvait voyager dans le futur, mais personne n'en parlait dans les journaux.

— Mais comment ?

— Vous savez peut-être que la grande découverte de la relativité, c'est que le temps ne s'écoule pas partout et toujours à la même vitesse.

Hector s'en souvenait vaguement.

— En gros, le temps s'écoule plus lentement pour vous si vous allez plus vite ou si vous passez près d'un corps très lourd, comme la Terre par exemple.

— Vous avez un exemple ?

— Mais oui. Si vous montez dans un avion qui voyage à près de la vitesse de la lumière pendant que je reste sur Terre et que j'arrive à regarder votre montre avec un télescope, je la verrais tourner moins vite que la mienne, même si nous portons exactement le même modèle…

— Et quand je reviendrai sur Terre ?

— J'aurai vingt ans de plus que vous, alors que de votre point de vue, vous n'aurez voyagé que quelques heures.

Hector se dit que c'était le voyage dans le temps qu'on n'avait pas forcément envie de faire ! Voyager dans le futur et retrouver tous les gens qu'on aimait très vieux ou même morts depuis longtemps !

— Et il n'y aurait pas de marche arrière, ajouta Hubert.

Hector et le billet de loterie

Hector demanda à Hubert si regarder les étoiles faisait croire en Dieu.

— Vous connaissez l'histoire du premier cosmonaute, qui est revenu sur Terre en disant : « J'ai voyagé dans le ciel, mais je n'ai jamais vu Dieu ni les Anges » ?

— Oui.

— Eh bien, un chirurgien, qui croyait en Dieu celui-là, a répondu : « J'ai déjà opéré des cerveaux, mais je n'ai jamais vu une seule *pensée* ! »

Hector se dit que, contrairement à ce que disaient parfois les psychiatres, certains chirurgiens étaient rudement intelligents.

Ils décidèrent de rentrer, car il commençait à faire vraiment froid, et Hector regrettait le superanorak qu'il avait chez les Inuits.

— Certains de mes collègues qui croient en Dieu, disent que la preuve qu'il existe, c'est que si les lois de la physique avaient été légèrement différentes, nous n'existerions pas.

Hubert expliqua que le monde fonctionnait selon trois ou quatre lois. À chacune correspondait un nombre particulier qu'on appelait une constante, parce qu'il ne changeait jamais. Hector se souvenait d'avoir appris à l'école la constante g, celle de la loi qui expliquait à quelle vitesse les choses tombaient, comme le téléphérique du télescope le ferait peut-être à son retour. Hubert connaissait quelques autres constantes pour des lois plus compliquées, comme la vitesse de la lumière ou la manière dont les atomes tombaient les uns sur les autres.

— Eh bien, si ces quatre constantes étaient un peu différentes, les lois de la physique ne seraient plus les mêmes. L'Univers n'aurait pas pu démarrer, si vous voulez. Les étoiles se seraient écroulées les unes sur les autres, tout aurait fondu. Ce n'est plus le *big bang* mais le *big crunch* – ou au contraire tout se serait volatilisé. Et donc, le *big bang* n'aurait pas marché et on n'aurait pas comme aujourd'hui un joli Univers en expansion avec les conditions de la vie sur au moins une planète. Ils disent que si les constantes de la physique sont comme ça, au milieu de millions de possibilités différentes, ce n'est pas un hasard et c'est la preuve que Dieu existe !

— Et qu'est-ce que vous en pensez ?

— De toute façon, si les lois étaient différentes, on ne serait pas là pour se poser la question de l'existence de Dieu. Donc, ce n'est pas parce qu'on est le résultat d'une combinaison sur des millions possibles que ça prouve que c'est Dieu qui l'a choisie. De même, si vous achetez le seul billet sur des millions qui gagne le gros lot à la loterie : ça ne prouve pas que c'est Dieu qui l'a fabriqué…

— Et vous ? demanda Hector.

— Je crois en Dieu, dit Hubert. Mais ça n'a rien à voir avec tout ça, dit-il en désignant le ciel.

146

À ce moment, un jeune astronome vint lui dire qu'il fallait qu'il vienne voir un truc.

Hector les suivit, mais il fut un peu déçu, il s'attendait à regarder les étoiles avec le télescope. Mais non, c'étaient des écrans d'ordinateur avec toutes sortes d'ondes et de chiffres qui défilaient à toute vitesse.

— On vérifie une hypothèse, dit Hubert.

Il essaya d'expliquer à Hector l'hypothèse : plus les étoiles s'éloignent les unes des autres, plus elles s'éloignent de plus en plus vite… Un peu comme : plus une personne s'éloigne de vous, plus elle le fait de plus en plus vite, mais Hector préféra ne pas donner cette comparaison à Hubert.

— Et les univers parallèles ? demanda Hector.

Il se souvenait de Madame Irina et du chamane.

— C'est une belle question, dit Hubert.

— Et il y a de belles réponses ?

— Certains physiciens ont imaginé qu'il n'y pas un seul espace-temps, comme celui dans lequel je vous parle, là, maintenant, mais qu'il en existe d'autres, chacun avec une probabilité d'existence différente.

— C'est donc possible ?

— Disons que ce serait compatible avec des théories formulées par des gens très sérieux.

Hector pensait à Madame Irina et à ses petits trains, et aussi au chamane et à ses voyages. Ces gens et quelques autres arrivaient-ils à se promener dans les courbures des espaces-temps ?

— Parfois, dit Hubert, je me dis que dans un univers parallèle, ma femme ne m'a pas quitté et que nous sommes très heureux. Mais pas de chance, je suis resté coincé dans l'espace-temps où ça se passe mal !

Hector pensa que si un jour on arrivait à voyager dans le temps, ça économiserait beaucoup de travail aux psychiatres.

Avant de se coucher, il écrivit :

Exercice de temps n° 20 : Lisez un bon livre de science sur le temps et la théorie de la relativité. Passez un peu de temps à comprendre pourquoi, si on ne peut pas dépasser la vitesse de la lumière, alors on ne peut pas remonter dans le passé.

Il se souvenait qu'un grand savant avait écrit plusieurs livres de ce genre, et certains avaient de belles images pour bien expliquer. Le corps de ce savant avait été peu à peu paralysé par une terrible maladie que ne savaient pas encore guérir les docteurs, mais si son corps ne pouvait plus faire beaucoup de mouvements, son esprit, lui, ne cessait d'accompagner la lumière des étoiles, l'Univers en expansion et le temps.

Hector et Ying Li en haut de la montagne

Hector se tenait au sommet de la montagne. Il voyait Ying Li venant à sa rencontre sur un petit chemin. Il faisait très froid et Ying Li était enveloppée d'un grand manteau de fourrure avec une capuche qui la faisait ressembler à une Inuit.

Elle sourit en s'approchant d'Hector. À ce moment, il s'aperçut qu'ils n'avaient pas besoin de se parler puisque leurs pensées se parlaient. Et Ying Li lui dit que, l'autre jour, elle avait voulu le remercier pour avoir changé sa vie, mais qu'elle n'avait pas osé.

Hector répondit que c'était la vie qui les avait changés tous les deux. De toute façon, tôt ou tard, quelqu'un aurait eu envie de changer la vie de Ying Li, tellement il était triste de comprendre pourquoi elle se trouvait dans l'endroit où il l'avait rencontrée.

Ying Li fit un petit mouvement de tête et, devant eux, apparut le bar aux douces lumières où ils s'étaient rencontrés. Mais on ne voyait pas Hector, on voyait juste plein de belles filles avec des hommes contents d'eux, et Ying Li accoudée au bar tout contre un Chinois avec les cheveux plaqués en arrière et une montre en or, qui buvait du cognac et qui riait en lui caressant le bras. Ying Li faisait semblant d'être contente

149

et de le trouver drôle. Et puis, on la voyait assise sur un lit dans une chambre d'hôtel avec l'air triste pendant qu'un gros Blanc tout nu dans la salle de bains lui disait en rigolant de venir le rejoindre. Et puis, on la voyait très tard le soir et très fatiguée manger des nouilles chinoises dans un petit café avec une copine trop maquillée et l'air très fatiguée aussi, et on voyait Ying Li au bar encore, avec d'autres hommes qui la prenaient par la taille et lui parlaient à l'oreille, ou assise dans de grands canapés, dans l'ombre, à côté d'hommes qui lui prenaient la main et lui caressaient les seins. Et pendant ce temps, Ying Li buvait de plus en plus de cognac et on la voyait grossir et vieillir. Et puis, on la voyait dans un train arriver dans une ville chinoise assez triste avec des cheminées d'usines, et on voyait une grande usine où Ying Li vissait des petites vis dans des petits machins au milieu de centaines d'ouvrières, et puis, le soir, on la voyait rentrer dans une assez jolie maison où vivaient ses deux sœurs et sa maman, avec une petite boutique que tenait sa maman, parce que c'était le résultat de toutes ces années passées dans les bars et dans les hôtels, la jolie maison et la petite boutique, pendant que les autres ouvrières rentraient se coucher dans des dortoirs. Et, le soir, Ying Li aidait un peu sa maman dans la petite boutique et elle s'occupait un peu aussi des enfants de ses sœurs qui avaient des maris qui travaillaient eux aussi dans des usines. Mais elle, Ying Li, n'avait pas de mari parce que aucun mari n'aurait voulu d'une fille plus très jeune qui avait passé trop de temps au loin dans la grande ville pleine de bars et d'hôtels.

Hector comprit qu'il venait de voir la vie de Ying

Li sans Hector et que cette vie était aussi vraie que l'autre, qu'elle existait peut-être dans un univers parallèle comme ceux de Madame Irina et de ses amis les perdurantistes.

Et en même temps qu'il se sentait le cœur serré pour cette Ying Li-là qui continuait à mener cette vie, il ne savait pas qui il devait remercier pour avoir rencontré celle qui se tenait maintenant à côté de lui. Mais elle, elle savait qui remercier, puisqu'elle fit à Hector un petit salut en s'inclinant avec ses mains jointes comme on le faisait au pays du vieux moine devant les gens très respectables ou devant la statue de celui que l'on nommait l'Éveillé.

Hector n'arrive pas à rêver tranquille

Justement là, Hector se réveilla. Le téléphone sonnait dans sa chambre. C'était Édouard !

— Le chamane, encore. Maintenant, il dit que tu dois aller sur une île.

— Mais j'en viens, dit Hector.

Car la ville chinoise de laquelle il venait était une île, en effet.

— Non, ça ne doit pas être celle-là. Le chamane dit : « Une île où les Kablunaks vivent un peu comme les Inuits. »

Hector n'entendait pas très bien Édouard, parce qu'il y avait beaucoup de musique et de bruit de fond. Édouard lui dit qu'il était dans la dernière ville de Kablunaks avant la terre des Inuits, où il y avait pas mal de bars et quelques hôtels.

— Bon Dieu, je crois que je ne suis pas encore guéri, dit Édouard, qui avait un peu de mal à s'exprimer.

Hector se souvint qu'avant, Édouard était un habitué du bar aux douces lumières où il avait rencontré Ying Li.

Il se rendormit.

Hector filait sur une motoneige avec Roger, qui

paraissait encore plus énorme couvert de peaux d'ours, et le grand chien Noumen qui galopait à côté d'eux.

— Ce qu'il faut bien comprendre, disait Roger en fronçant les sourcils, c'est que l'éternité, ce n'est pas du temps qui dure toujours ! L'éternité est hors du temps, elle englobe tout à la fois le passé, le présent et l'avenir. Seul Dieu est éternel !

À ces paroles, Noumen les regarda de ses yeux clairs et dit :

— Certes, mais alors que faisait Dieu avant la création du monde ? Y avait-il du temps alors ?

— Dieu voit le passé, le présent, l'avenir en même temps, dit Roger. Pour lui, le temps ne défile pas. Dieu est hors du temps, il est dans l'éternité !

— Ça ne répond pas à ma question, dit Noumen avec un petit jappement joyeux.

— Le présent est juste un reflet de l'éternité dans le temps ! s'écria Roger.

— Belle formule, rétorqua Noumen, mais la solution de l'énigme de la vie dans l'espace et le temps ne se trouverait-elle pas hors de l'espace et du temps ? Dans ce cas, où donc se trouve-t-elle ?

Roger voulut répondre, mais ils arrivèrent trop vite sur une grosse bosse, et Roger et Hector et la moto-neige se retrouvèrent propulsés dans les airs pendant que Noumen aboyait et que le téléphone sonnait.

C'était Clara.

— J'ai fait un rêve affreux, dit Clara, l'air tout émue.

— Tout va bien, dit Hector. Quel genre de rêve ?

— Tu ne revenais pas, dit Clara. Tu devenais une

sorte de moine au crâne rasé et en tunique orange, tout en haut d'une montagne. Plein de jolies Chinoises venaient te saluer et te prier.

— Ce n'est pas si affreux, dit Hector en souriant.

— Arrête, c'est affreux, affreux, dit Clara en riant et en pleurant à la fois.

Hector lui demanda comment elle allait, et Clara dit qu'elle allait mieux. Elle était allée voir le vieux François et ils parlaient du temps qui passe.

— Il va t'écrire. Mais pas pour te parler de moi, bien sûr.

Le vieux François ne pouvait pas parler de Clara à Hector. C'était ce qu'on appelle le secret professionnel, et les psychiatres le respectent presque toujours.

Après, Hector essaya de se rendormir, mais il n'y arrivait pas.

Une île où les Kablunaks vivent un peu comme les Inuits ?

Cette fois-ci, il se retrouva dans la gare du petit train en bois sur la montagne, et le vieux Chinois à casquette lui tendait son billet.

— Vous ne me reconnaissez pas ? demandait-il à Hector.

Non, Hector ne le reconnaissait pas...

Et puis, le téléphone sonna encore. C'était Marie-Agnès.

— Ah, dit-elle, j'ai eu un mal fou à vous joindre.

— Pourquoi pas par Internet ? demanda Hector un peu énervé d'être réveillé pour la troisième fois.

— Oh, je n'ai jamais su bien me servir de ces machins. Voilà, mon Paul voulait vous inviter à un grand colloque. Un colloque sur le temps avec plein de stars de tous les domaines.

Hector savait qu'aujourd'hui, dans un colloque sur n'importe quel sujet on invitait toujours un psychiatre. C'était un peu comme le saumon fumé dans un buffet : ce n'est pas toujours bon, mais s'il n'y en a pas, les gens trouvent que ça manque. Ça ne lui disait pas grand-chose d'y aller, à ce colloque.

— En fait, dit Marie-Agnès, je comprends que ça ne vous passionne pas, mais j'aimerais vraiment que vous veniez.

— Pourquoi ?

— Mon Paul vient de faire une grande crise d'angoisse. Je l'ai trouvé tout tremblant au réveil, et vraiment pas gai. « Je contrôle tout, il m'a dit, et pourtant je ne contrôle rien. » Là, je me suis dit qu'il filait un mauvais coton. Alors, je pense que ça lui ferait du bien de vous voir, et assez vite. Mais, bien sûr, il n'avouera jamais qu'il a besoin de voir un psychiatre… Donc, je lui ai dit que j'allais vous appeler, pour préparer le colloque…

Marie-Agnès lui dit où elle et Paul attendaient qu'il vienne les rejoindre, et Hector fut alors certain qu'il devait y aller immédiatement.

Une île où les Kablunaks vivent comme des Inuits !

Hector rencontre un monsieur important

— Je suis bien content que vous soyez venu, dit Paul. Je suis désolé, on vous a prévenu à la dernière minute.

Derrière Paul, Hector apercevait les colonnes d'un temple en ruine sur le bleu profond de la mer. Marie-Agnès, Paul et lui étaient assis sur un banc de pierre qui, à l'ombre d'un grand olivier, paraissait presque aussi vieux que le temple.

Marie-Agnès avait l'air ravie, à la fois très fière de montrer son magnifique Paul à Hector, de montrer son superpsychiatre à Paul et aussi de se dire que peut-être ils allaient bien s'entendre.

Hector avait quand même remarqué la lueur de panique dans le regard de Paul. Il se demandait quand ils allaient arriver à en parler.

— Votre nom n'est pas encore sur ce programme, mais on est en train d'en imprimer un nouveau. On l'aura dans... quelques minutes, dit Paul en regardant sa montre.

Paul avait l'air à peine plus vieux qu'Hector à première vue. Hector voyait bien qu'il n'avait aucun cheveu gris, mais maintenant, grâce à la réflexion des infirmières, il savait que cela voulait juste dire que Paul

avait un excellent coiffeur. Hector vit aussi que Paul
n'avait pratiquement aucune de ces petites rides autour
des yeux. Il se demanda si c'était parce qu'il connaissait
une crème anti-âge meilleure que toutes les autres, ou si
des collègues médecins ou chirurgiens avaient réussi à
gommer ces signes du temps.

Paul parlait vite et bougeait souvent sur sa chaise.
Sous sa chemise, on devinait de vrais muscles, on sentait
qu'il se maintenait en forme avec de la gymnastique. Et
donc, au total, on aurait pu croire qu'il était beaucoup
plus jeune qu'il n'était en réalité. Sauf sous certains
éclairages, avait remarqué Hector. Quand la lumière
tombait d'en haut, comme sous ce soleil éclatant, on
voyait soudain que le visage de Paul était celui d'un
homme de son âge, c'est-à-dire un bon chien et demi de
plus qu'Hector.

Exercice de temps nº 21, pensa Hector : *Si vous
voulez toujours paraître jeune, restez toujours à l'ombre (ou
à la lumière de bougies).*

Mais comme Hector savait que Paul n'aimait pas
avoir l'impression de perdre son temps, il se dit qu'il
noterait cet exercice plus tard.

— Alors, dit Marie-Agnès, qu'en pensez-vous ?
Hector regarda le programme du colloque organisé par
Paul. Cela s'appelait *Le temps avec nous*. Il y avait différents intervenants comme on dit, tous assez célèbres. Ils
allaient parler du temps, de leur point de vue, bien sûr :
un philosophe à la chevelure ébouriffée, un moine de la
religion d'Hector, un grand conseiller des grandes entreprises et spécialiste du temps, un grand biologiste qui
allait expliquer pourquoi on vieillit, un pilote de course

qui gagnait en prenant des virages en quelques dixièmes de seconde de moins que ses concurrents.

Et puis, Paul allait parler lui-même puisque c'était lui qui organisait ce grand colloque où étaient invités plein de gens de sa grande entreprise. Et pas mal de journalistes ou plutôt de chefs de journalistes, parce que Paul espérait bien qu'on parlerait de ce colloque et donc de sa grande entreprise.

Que fabriquait la grande entreprise de Paul ? Des crèmes de toutes les sortes, dont la plus célèbre des crèmes anti-âge, et aussi des teintures pour les cheveux, et quantité de produits pour paraître plus beau et plus jeune pour les femmes et aussi pour les hommes du monde entier ! Des centaines de chercheurs travaillaient tous les jours à trouver toujours mieux en mélangeant plein de produits dans des éprouvettes de toutes les couleurs.

Tous les invités étaient logés dans un ancien village tout près du temple. Autrefois, c'était un village normal avec les habitants du coin, mais peu à peu la pêche n'avait plus permis de nourrir assez de familles, et ce village avait été abandonné. Plus tard, les habitants qui restaient encore dans l'île l'avaient transformée pour accueillir les gens venus d'ailleurs, comme pour ce genre de colloque, justement. Avant, ils étaient pêcheurs de poissons ; maintenant ils étaient devenus pêcheurs de touristes.

— Le programme me paraît très bien, dit Hector. Des points de vue différents, les gens n'auront pas l'impression de perdre leur temps.

— N'est-ce pas ? dit Paul avec un sourire de soulagement.

Une jeune dame habillée comme Clara quand elle allait au bureau arriva en tenant une liasse de nouveaux programmes au-dessus de sa tête pour se protéger du soleil et en se tordant les chevilles avec ses talons sur les cailloux du chemin. Paul vérifia que le nom d'Hector était bien sur le programme, et puis ils se mirent à parler tous les deux des places à table pour le dîner.

— Bon, et si nous allions faire un tour ? dit Marie-Agnès que ces questions d'organisation ennuyaient, cela se voyait.

Du haut de la colline où ils se trouvaient, on pouvait apercevoir très bien le petit port de pêche qui pendant longtemps avait suffi à nourrir tous les gens de l'île. Il y avait encore pas mal de petits bateaux peints de riantes couleurs, et Hector vit des pêcheurs qui déchargeaient du poisson brillant sous le soleil. Un peu plus loin, assis sur des bancs à l'ombre des arbres, des vieux regardaient des enfants qui jouaient à la balle contre le mur de l'église.

Une île ou les Kablunaks vivent comme des Inuits, avait dit le chamane.

Hector se dit que Clara aurait aimé être là.

Et il se demandait quand même pourquoi le chamane avait voulu qu'il vienne dans cette île, car contrairement à celui du saumon qui allait un jour se retrouver sur le buffet, l'Être-au-Monde d'Hector était à la fois ouvert à l'avenir et tourmenté par le Souci, comme aurait dit le fameux philosophe à petite moustache.

Hector travaille, même à la mer

Finalement, Marie-Agnès laissa Hector seul avec Paul. Ils allèrent prendre un verre dans la villa où logeaient Marie-Agnès et Paul. Les persiennes fermées laissaient passer un peu de soleil, ça faisait une jolie lumière qui aurait donné l'air jeune à tout le monde.

Hector avait envie de boire une bière, mais comme Paul s'était servi du jus de légumes, il fit pareil. Il vit aussi que Paul avait l'air soulagé de se retrouver seul avec lui.

— Toujours faire bonne figure... dit Paul en soupirant.

En quelques questions, Hector le mit à l'aise, après tout, c'était son métier.

Et Paul lui raconta assez vite qu'il ne se sentait pas bien du tout. Depuis bientôt une semaine, il avait tous les matins de grandes crises d'angoisse.

— J'ai l'habitude de me lever très tôt, je prends mon café en réfléchissant au plan de ma journée. Mais là, face à la mer, je me suis senti très mal, comme si j'allais mourir. Tremblements, le cœur qui s'affole, en sueur, et tout. Mais ce n'est encore rien. Il y a le sentiment que ma vie m'échappe. Que rien ne sert à rien.

160

Que le temps passe, que je n'y peux rien, et que je vais… droit dans le vide.

Rien qu'en parlant de sa crise d'angoisse, Hector vit bien que Paul était en train de s'en fabriquer une nouvelle. Il lui conseilla de s'étendre un peu sur le canapé et de respirer calmement.

Paul réussit à se calmer un peu, et puis il recommença à parler en regardant le plafond.

— Toute ma vie, j'ai lutté contre le temps ! dit Paul. Dans les études, j'ai été vite. Je me comparais toujours aux copains de promotion de mon école.

Paul ne parlait pas de sa petite école, bien sûr, mais de l'école que font les gens plus tard pour apprendre à devenir des gens importants.

— Lequel d'entre nous serait le premier à devenir directeur général : voilà le genre de questions qu'on se posait. J'étais très fier d'être P-DG à 32 ans. Et puis, j'ai dirigé des entreprises de plus en plus grosses. Bien sûr, j'ai divorcé deux fois. Mais bon, mes enfants vont bien. L'entreprise est devenue de taille mondiale… et tout le monde dit que c'est grâce à moi. Mais l'autre matin…

— L'autre matin ? demanda Hector. (Un truc de psychiatre qu'on vous donne : quand les gens s'arrêtent de parler, répétez juste la fin de leur dernière phrase.)

— … le sentiment que tout ça n'était qu'un grand vide. Oui, j'ai fait tout ça, je suis arrivé là. Mais maintenant, je ne suis plus qu'un vieux bonhomme, qui essaie de croire et de faire croire qu'il est toujours jeune. À quoi a servi tout cette vie si, à cette seconde, je me sens aussi mal ? Après tout, si je n'avais pas accompli tout ce que j'ai fait, un autre l'aurait sans doute fait tout aussi bien… De toute façon, le marché de la beauté est porteur, alors moi ou un autre, ça aurait marché…

Hector savait que quand les gens comme Paul deviennent modestes, c'est qu'ils ne sont pas loin de la très grosse dépression.

— … l'autre matin, j'ai eu l'impression que toute ma vie n'a été que du vide. Et pourtant, je croyais qu'elle était bien remplie, j'ai toujours voulu remplir le temps. Remplir le temps ! Mais je n'y crois plus… Même si on le remplit, il n'arrête pas de vous filer entre les doigts. Et on y va, on y va, droit dans le vide ! dit Paul en se redressant sur le canapé, un peu comme quelqu'un qui veut sauter de la voiture avant qu'elle ne bascule dans le ravin.

Hector se dit que Paul avait besoin de parler pas mal, en plusieurs fois, mais qu'avant, il fallait qu'il aille un peu mieux. Alors, il lui donna quelques petites pilules qu'il emportait toujours avec lui au cas où. Certaines contenaient à peu près la même chose que celles qu'il avait données au chien de Fernand. (Mais Hector ne le dit pas à Paul, bien sûr.)

Plus tard, il nota dans son petit carnet :

Exercice de temps n° 22 : À votre avis, qu'est-ce qu'une vie bien remplie ?

Hector retourne à l'école

Et le colloque commença.

Paul avait prévu qu'Hector parle le matin, mais Hector lui expliqua que les psychiatres étaient rarement à leur meilleur le matin (autrement, ils auraient fait chirurgie). Alors il allait parler seulement à la fin du deuxième jour, juste avant le dîner.

Tout le monde – une bonne centaine de personnes, compta Hector – était assis sur les bancs de pierre d'un théâtre aussi vieux que le temple. Heureusement, on les avait recouverts avec de beaux coussins bleus très confortables. Au-dessus, une grande tente bleue et blanche protégeait les gens du soleil, et des femmes du pays en robe bleue et tablier blanc apportaient souvent des rafraîchissements.

En un sens, heureusement que le vieux François n'était pas là, pensait Hector, car dans différents pays du monde où ils étaient allés à des colloques, Hector avait remarqué que son vieux collègue avait toujours eu un faible pour les jolies serveuses locales inconscientes de leur beauté. Et là, il en remarquait quelques-unes, et aussi quelques mignonnes journalistes ou chefs de journalistes.

On ne va pas tout vous raconter du colloque,

parce que ça serait un peu ennuyeux. Hector s'ennuyait pas mal, un peu comme quand il était au lycée en essayant d'écouter ses professeurs. Pourtant, il savait que c'était intéressant, mais c'était comme ça, il aimait bien écouter les gens qui lui racontaient leur vie, mais autrement les cours il préférait les lire, pas les entendre.

— Ça n'a pas l'air de vous intéresser beaucoup, dit Marie-Agnès qui était assise à côté de lui.

— Mais si, dit Hector.

Pour essayer de se concentrer un peu, il décida de noter les choses les plus intéressantes sur son petit carnet. Voici ses notes.

Le philosophe.

Très compliqué. Mais des questions intéressantes. Est-ce que le temps c'est comme l'espace ? Tous les deux ont été créés par Dieu en même temps que le monde. Leibniz par exemple, pensait ça, mais Newton estimait que le temps est un attribut de Dieu et a donc, comme Lui, toujours existé. Ils se sont disputés sur ce sujet et Newton était assez méchant. Ou alors le temps et l'espace sont-ils juste des conceptions de l'homme pour comprendre le monde à sa manière ? Pour Kant ou Spinoza, le temps n'existe que par nous. Donc, le temps n'existerait pas sans nous pour le sentir ou le mesurer ? À mon avis, il a quand même existé avant nous, car autrement comment aurait-on eu le temps d'apparaître ? Sur ce point, je suis plutôt d'accord avec Aristote et Hobbes, moins avec saint Augustin et Kant, mais j'ai déjà un peu oublié ce qu'ils ont dit.

Beaucoup de philosophes du siècle dernier ont réfléchi sur le thème : il faut du temps pour être, s'il n'y avait pas de temps on n'aurait donc pas le temps d'être. Et dès qu'on est, il y a donc du temps. Et donc être et temps ce serait du pareil au même pour certains, et ils écrivent des livres entiers pour l'expliquer. Heidegger (petite moustache), Sartre (grosses lunettes rondes). La philo, c'est bien, mais c'est un peu comme les maths, il faut s'entraîner tous les jours pour apprécier. Et se mettre à l'allemand. Dommage qu'on n'ait pas parlé théorie de la relativité, il aurait fallu inviter un spécialiste des étoiles comme Hubert. Le dire à Paul pour la prochaine fois.

À côté de lui, il vit que Marie-Agnès avait piqué un petit roupillon, et ça lui rappela que les philosophes c'étaient surtout des hommes. Ou alors les femmes qui étaient philosophes se posaient souvent des questions non pas sur ce qui était vrai ou faux, mais sur ce qui était bien ou mal pour les gens. Et donc pour les bébés, au fond.

Le spécialiste du temps pour les grandes entreprises.
Trop simple. Son grand truc : faire la différence entre l'urgent et l'important. Important et urgent : à faire soi-même tout de suite. Important et pas urgent : réfléchir un peu tous les jours. Urgent et pas important : le filer à quelqu'un d'autre. Pas important et pas urgent : le balancer par-dessus bord le plus vite possible. Très content de dire qu'avec les moyens de communication tout va plus vite dans tous les sens, mais il oublie qu'on aurait déjà pu dire la même chose quand on a appris à monter à cheval ou qu'on a inventé le téléphone. Aime bien dire des mots comme « instantanéité », « hypertemps », « temps-monde ».

Une dame posa une question au spécialiste du temps en demandant si tous ces petits appareils qui permettaient de se parler, de s'écrire et même de se voir à tout moment partout dans le monde n'allaient pas supprimer le temps de réfléchir.

— Pas du tout, dit le spécialiste du temps avec un grand sourire. Au contraire, en travaillant plus vite, on libère du temps pour soi !

Hector n'en était pas si sûr. Il se souvenait de Clara toujours en train de consulter son téléphone mobile ou ses messages Internet, même pendant les week-ends.

Marie-Agnès posa aussi une question :

— Votre histoire urgent-important, c'est intéressant, dit-elle. Mais quand vous dites urgent ou important, c'est par rapport à qui ? Moi ? Mon patron ? Dieu ?

— Dieu, je ne sais pas, dit le spécialiste du temps en riant. C'est à vous de définir vos priorités.

Hector se dit qu'il n'allait pas laisser Marie-Agnès toute seule à poser des questions. Il voulait lui donner l'impression qu'elle avait eu raison de le faire inviter par Paul.

À force de voir des patients qui lui parlaient de leur travail et aussi ses amis qui travaillaient un peu comme Clara, il avait fini par se faire une idée de la manière dont les gens classaient l'urgent et l'important, et aussi de ceux et celles à qui ça réussissait le mieux.

Il leva le doigt, et on lui passa le micro. Il expliqua qu'au travail, par exemple, il était important de faire la différence entre trois sortes de choses importantes :

premièrement, les choses importantes pour que le travail soit bien fait ; deuxièmement, les choses importantes pour votre patron ; et troisièmement, celles qui l'étaient pour votre carrière.

— Dans un monde idéal, dit Hector, ça devrait être exactement les mêmes !

Cette réflexion fit rire tout le monde : les gens savaient bien qu'ils n'étaient pas dans un monde idéal ! Hector avait souvent remarqué que les gens qui mettaient « travail bien fait » en premier, avaient en général moins souvent des récompenses que ceux qui mettaient en premier « important pour le patron » ou « important pour la carrière ». Alors, ces gens consciencieux avaient souvent de gros coups de cafard parce qu'ils n'avaient pas été récompensés, et pourtant ils avaient l'impression d'avoir bien fait leur boulot. Hector les aidait à réfléchir sur les autres priorités : ce qui était important pour leur patron et pour leur carrière. Pour leur patron, il fallait deviner aussi ce qui était le plus important pour lui : le travail bien fait, son propre patron, ou sa carrière à lui. Ensuite, on pouvait aussi essayer de deviner comment pensait le patron de son patron, mais là, ça devenait un peu compliqué, comme la théorie de la relativité.

— Mais, dit quelqu'un, je ne comprends pas bien la différence entre important pour ma carrière et important pour mon patron, puisque c'est mon patron qui décide de ma carrière.

— Pas seulement, dit Hector.

Pour sa carrière, il fallait passer du temps à connaître un peu d'autres patrons que son patron, se tenir au courant de ce qui se passait ailleurs, se faire des copains et apprendre des choses nouvelles qui seraient utiles plus tard.

— Comme apprendre le chinois, dit quelqu'un.

Hector était content, les gens avaient eu l'air de trouver ses petites réflexions intéressantes.

Pendant qu'on attendait le biologiste qui allait expliquer pourquoi on vieillit, Hector prit son petit carnet.

Exercice de temps nº 23 : Faites un beau tableau à quatre cases : Urgent-Important, Urgent-Pas important, Pas Urgent-Important, Pas Urgent-Pas important. Rangez tout ce que vous avez à faire dans les cases. Êtes-vous avancé ?

Après il se sentit assez content d'ajouter son petit exercice à lui :

Exercice de temps nº 24 : Classez tout ce que vous avez à faire en « important pour bien faire votre travail », « important pour votre patron », « important pour votre carrière ». Combien de temps passez-vous sur chacun des trois ?

Soudain, Hector pensa qu'on pouvait aussi appliquer ça à la vie de la famille.

Exercice nº 24 bis : Classez le temps que vous passez à faire les choses importantes pour vos enfants, pour votre conjoint et pour vous. Montrez le résultat au reste de votre famille.

Il sentait que c'était un exercice un peu dangereux à faire pour la paix à la maison, et il se dit qu'il ne le conseillerait pas à tout le monde.

Après quoi, il recommença à s'ennuyer un peu,

mais heureusement le biologiste était monté sur l'estrade. C'était un grand type à l'air sérieux, et Hector pensa qu'il avait sûrement des choses intéressantes à dire pour expliquer pourquoi nous vieillissons, pauvres de nous.

Hector apprend pourquoi on vieillit

Le biologiste
Très intéressant sur toutes les raisons pour lesquelles
on vieillit. La plus importante : nos cellules se reproduisent
sans arrêt en se divisant. Mais chaque fois, c'est un peu
comme une photocopie de photocopie : la copie est un peu
moins bonne. Donc, chaque nouvelle génération de cellules
fonctionne un peu moins bien que la précédente. C'est ça
qui fait que peu à peu notre corps fonctionne un peu moins
bien et qu'on vieillit. Et cette photocopie incessante des
cellules est commandée par les bouts des chromosomes, les
télomères. Si donc on arrivait à contrôler l'action des télo-
mères, les photocopies seraient parfaites, la nouvelle cellule
identique à la précédente, et on ne vieillirait plus jamais,
on s'arrêterait à l'âge qu'on a...

— C'est génial ! dit Marie-Agnès.
— Nous y travaillons, dit doucement Paul qui
était revenu s'asseoir à côté d'elle.
Hector eut un peu le vertige en pensant à ce qui
arriverait si on arrivait à contrôler les télomères. Les gens
avalent un médicament et, hop, ils restent pour toujours
à l'âge qu'ils ont. Mais pour ceux déjà très vieux, ce ne
serait pas si drôle. Et pour les jeunes, à quel âge décider

de s'arrêter ? Et puis aussi, qui aurait accès à ce médicament ? Les riches d'abord, sans doute, qui vivraient beaucoup plus longtemps que les pauvres, une fois de plus. Cela déclencherait-il des guerres ? Se faire tuer ou mourir dans un accident serait alors un bien plus grand malheur qu'avant, car cela ferait vraiment perdre des centaines d'années de vie. Alors peut-être, les gens deviendraient-ils très très peureux et n'oseraient-ils plus jamais faire des choses un peu risquées ? Ne finirait-on pas par s'ennuyer de vivre ? Et dans une société où tout le monde serait jeune, la jeunesse ne finirait-elle pas par perdre son charme éphémère et merveilleux ? Et si plus personne ne mourait plus de vieillesse, comment nourrir tous les nouveaux enfants qui arriveraient sur Terre ? Arrêter de faire des bébés ? Et si plus personne ne devenait papa ou maman, qu'est-ce que ça donnerait sur l'esprit des gens ? Ne deviendraient-ils pas très égoïstes et donc pas si heureux ?

On verrait quand on y serait, pensa Hector, mais il n'était pas sûr d'avoir envie d'y être. D'un autre côté, ne jamais se voir vieillir avec Clara…

À ce moment-là, le biologiste fit passer une diapositive.

C'était un gros ver tout blanc, pas très appétissant, il faut le dire, et Hector trouva que ce n'était pas une très bonne idée de le montrer avant le dîner.

— Normalement, ce genre de ver vit trois mois, dit le biologiste. Hector eut un petit frisson en prévoyant ce qui allait suivre.

— Mais on a travaillé sur les télomères de ses

chromosomes, qui sont beaucoup plus simples que les nôtres.

Le biologiste laissa un petit silence, et puis il dit :

— Ce ver-là vit depuis un an.

Tout le monde fit : « Oooh. » Hector se demanda ce que le vieux moine aurait pensé de tout ça, et d'ailleurs, où était-il donc, et pourquoi le chamane voulait-il qu'il aille sur cette île ?

— Bon, on va aller dîner, dit Marie-Agnès. Vous verrez, le menu est super.

Et Hector était sûr qu'en effet, il n'y aurait que des bonnes graisses au menu. Ça lui fit plaisir de penser à toutes ces vaches, tous ces moutons et tous ces cochons qui pourraient continuer d'apprécier leur Être-au-Monde sans Souci.

Hector comprend que le régime
n'est pas tout dans la vie

Cette nuit-là, Hector ne fit pas de rêve.

Mais il se réveilla très tôt le matin et décida d'aller faire un petit tour au village et de voir les bateaux de pêche avant que le soleil ne commence à taper trop fort.

Sur le chemin, il rencontra le biologiste qui avait dû avoir la même idée. Alors, ils firent la promenade ensemble.

— Je suis curieux de savoir ce que vous allez raconter demain au colloque, dit le biologiste.

— Moi aussi, dit Hector.

Et le biologiste rigola en croyant que c'était une bonne plaisanterie. Mais c'était vrai : Hector ne savait pas encore très bien ce qu'il allait raconter, mais il se disait qu'il avait encore presque deux jours pour y penser ; alors, pourquoi se presser ? Au fond, c'était du important-mais-pas-encore-urgent ; il fallait juste qu'il y réfléchisse de temps en temps. Important pour qui, d'ailleurs ? Le biologiste, qui s'appelait Olivier, était un grand maigre aux joues creuses et lui aussi paraissait assez jeune, même si Hector devinait qu'il avait au moins un chien de plus que lui. Hector se demandait si le soir, à la maison, Olivier faisait des expériences sur ses télomères pour rester jeune.

— Savez-vous pourquoi cette île est exceptionnelle ? demanda Olivier au moment où ils arrivaient sur
la place du village.

Il y avait un petit marché qui s'était installé, avec
des gens qui étaient arrivés de la terre ferme pour vendre
des choses qu'on ne pouvait fabriquer dans l'île, des
lampes, des machines à coudre, du café, ou même des
robes imprimées pour les dames, remarqua Hector.

— Non, dit Hector.

— C'est un des endroits du monde où il y a le
plus de centenaires.

Hector regarda autour de lui. À l'ombre des
platanes, assis sur des bancs, on voyait de très vieux
messieurs et vieilles dames assis sur leurs bancs – donc,
sans doute, quelques centenaires – et puis, au bord du
quai, les pêcheurs en train de discuter près de leurs filets
et de leurs cageots pleins de poissons. Un peu plus loin,
les femmes allaient au marché. Et partout, des enfants
avaient commencé à jouer et à se courir après parce
qu'on était dimanche et qu'il n'y avait pas école.

La cloche de l'église sonna très doucement
7 heures.

Hector et Olivier décidèrent d'aller prendre un
café à la terrasse d'un petit bistrot qui faisait aussi
épicerie-tabac-matériel de pêche-location de vélos.

La dame qui tenait le café, et qui, surprise, ressemblait un peu à la maman de Ying Li dans le rêve
d'Hector, leur demanda s'ils voulaient manger quelque
chose et ils dirent que oui.

En plus du café, ils eurent droit à des tranches
d'un très bon pain assez foncé, une petite assiette d'huile

d'olive, deux ou trois tomates fraîches, et un petit pot de harengs marinés.

— Voilà le secret ! s'exclama Olivier. Leur régime alimentaire ! Des légumes, du poisson, des noix. Que des bonnes graisses !

Hector se souvenait que ce genre de régime s'appelait le régime méditerranéen. Ce n'était pas un hasard puisque justement cette île se trouvait au milieu de la mer qu'on appelle Méditerranée !

— Une autre chose aussi : ils mangent peu, moins que nous. Si on sous-alimente un peu des rats, ils vivent plus longtemps.

En voyant les joues creuses d'Olivier, Hector pensa que lui aussi devait éviter de trop se nourrir.

— Si tous les gens de nos pays se mettaient à manger moins, on gagnerait au moins dix ans de vie, dit Olivier en avalant un hareng mariné.

D'accord, pensa Hector, mais vivre dans la faim ?

Hector continuait de regarder autour de lui les enfants en train de jouer, les hommes qui déchargeaient un cageot de poissons de temps en temps quand la conversation tombait, les femmes en train de discuter entre elles sur la bonne machine à coudre à acheter, et les vieux messieurs et les vieilles dames assis pas loin sur leurs bancs. Sans doute quelques-uns parmi eux regardaient-ils jouer leurs arrière-arrière-petits-enfants.

Hector se souvint aussi qu'il y a très longtemps dans cette île et toutes celles de la région, avant que n'arrive la religion d'Hector, les gens croyaient aussi que la vie recommençait après la mort, et que même le monde entier recommençait de temps en temps, comme le Soleil qui se lève tous les matins.

Une île où les Kablunaks vivent comme les Inuits.

Hector se dit que le régime méditerranéen était sûrement très bon pour la santé, mais qu'il y avait d'autres raisons au nombre de centenaires dans cette île. Cela allait lui donner des idées sur ce qu'il allait raconter au colloque.

Hector se repose

À son retour dans sa chambre, comme il ne savait toujours pas pourquoi il était là, Hector décida de passer des coups de téléphone. (En fait, il le savait bien : parce que Paul et Marie-Agnès l'avaient fait venir, mais un peu comme dans une conversation qui en cache une autre, il pensait que ce pourquoi en cachait un autre, et ce pourquoi-là, le chamane devait le connaître, lui. Ça lui rappelait la question qu'avait justement posée un philosophe dont avait parlé le philosophe : pourquoi y a-t-il un Univers, plutôt que rien du tout ?)

Tout d'abord il appela Clara.

Elle lui dit que ça allait mieux et qu'il lui manquait. Hector fut tellement content qu'il sentit les larmes lui monter aux yeux, mais il se reprit parce qu'un homme, ça ne doit pas pleurer, sauf à l'enterrement de ses copains. Il dit à Clara qu'elle aussi lui manquait beaucoup et qu'il pensait revenir très vite. Ils s'embrassèrent par téléphone, et Hector sentit à nouveau de grandes ondes d'amour passer entre eux à la vitesse de la lumière, comme si le temps n'avait pas existé et qu'ils étaient revenus au début de leur histoire.

Ensuite, il essaya d'appeler Édouard, ce qui n'était

pas très facile, vous vous en doutez. Finalement, Édouard le rappela quelques minutes plus tard.

— Je suis revenu au camp, dit-il.

Hector l'imaginait dans la grande tente où il avait déjeuné avec Hilton et Éléonore, près des appareils qui permettaient de se parler avec tous les endroits du monde et qu'aimait tant le spécialiste du temps.

— Et le chamane ? demanda Hector.

— Il nous a fait une grosse peur, dit Édouard.

Il expliqua que le chamane non seulement avait bu trop de bière de lichen mais aussi de la vodka que les Inuits s'étaient procurée auprès d'un autre village inuit. Maintenant, il était allongé sans bouger sur un lit de l'infirmerie du camp kablunak avec pas mal d'appareils qui clignotaient autour de lui pour surveiller qu'il ne s'endorme pas pour toujours.

— Le médecin dit qu'il va s'en tirer.

Cette aventure prouvait que les chamanes, un peu comme les psychiatres d'ailleurs, peuvent être très malins pour les autres, mais pas toujours pour eux-mêmes.

Pas de nouveau message du chamane donc, Hector n'était pas très avancé.

Puis, il appela le vieux François.

— Je suis à nouveau accroché au petit train que j'aime tant, dit le vieux François. Et pour l'instant je ne pense plus du tout au terminus ! Heidegger me mettrait une mauvaise note !

Hector se demanda à quoi ressemblait la nouvelle petite locomotive capable de rendre joyeux un si vieux wagon.

178

Sans vouloir lui en dire plus, à cause du secret professionnel, le vieux François dit à Hector que Clara allait mieux.

Elle n'aurait pas besoin de petites pilules, mais ce serait une bonne idée qu'Hector revienne assez vite la voir.

— Comme vous savez, cher ami, en amour, tout est une question de concordance des temps !

Hector trouva ça très bien comme réflexion et il se dit qu'il la noterait dans son carnet.

Enfin bref, tout allait bien et comme Hector s'était levé assez tôt pour un psychiatre, il se dit qu'il allait s'allonger cinq minutes sur son lit pour se reposer un peu avant d'aller au colloque écouter la première intervention : un moine de sa religion, et puis plus tard le pilote de course.

Mais il s'endormit, ce qui était un peu dommage, car ces gens-là avaient sûrement des choses intéressantes à raconter.

Hector et les deux centenaires

Hector était allongé sur un lit, un petit tuyau dans les narines, un autre plus gros dans le gosier et des petits bouts de fils collés partout pour surveiller le bruit de son cœur et sa respiration. Des appareils clignotaient autour de lui.

Ce qui était pénible, c'est qu'il ne pouvait pas bouger du tout, ni parler. Et pourtant, il se sentait parfaitement réveillé, et il entendait même le vent de la banquise au-dehors. Il vit une jeune femme s'approcher de lui, c'était une infirmière inuit avec un petit bonnet blanc, et hop ! elle lui mit le rayon d'une petite lampe électrique en plein dans un œil, puis dans l'autre, et c'était très désagréable, mais il ne pouvait rien lui dire. Elle disparut de sa vision, mais comme il ne pouvait pas bouger la tête, elle était peut-être restée tout près.

C'était vraiment très pénible, de rester réveillé sans pouvoir bouger, avec juste le bip-bip des appareils autour de lui.

Le seul moyen d'échapper à ça aurait été de rêver, mais comment rêver sans dormir ?

Hector fit un effort, et puis ça y était, il se retrouva sur la place du village, tout près de l'église, et il aperçut Olivier qui s'éloignait en gobant des harengs marinés qu'il jetait en l'air devant lui, ce qui faisait beaucoup rire les enfants qui couraient autour de lui.

Sur un banc à l'ombre d'un platane, il aperçut deux vieux messieurs du village qui le regardaient. Il décida d'aller leur parler.

Ils le regardèrent s'approcher en souriant. Ils avaient l'air très vieux, tellement vieux que même leurs rides s'étaient un peu effacées. Leurs yeux s'étaient un peu voilés, mais ils avaient l'air contents de voir Hector quand même. Il se dit qu'ils étaient sûrement centenaires.

— Vous en avez fait une trotte, dit le centenaire qui portait une casquette.

— J'aime les voyages.

— Nous aussi, dit celui qui avait un béret, le même genre de béret qu'on portait il y a longtemps dans le pays d'Hector.

Hector et les deux centenaires parlaient la même langue, même s'il était difficile de savoir laquelle.

— Asseyez-vous, ne restez pas au soleil, vous allez attraper chaud, dit le centenaire à casquette.

Et Hector fut content de s'asseoir à l'ombre, car les peaux de renards commençaient à lui tenir chaud.

Et ils continuèrent de regarder les enfants qui jouaient, sur la place, et les bateaux qui continuaient d'arriver sur la mer toute bleue.

— Je me demande s'ils vivront aussi longtemps que nous, dit le centenaire à casquette.

— Ils auront une meilleure médecine, dit celui qui portait un béret.

— Mais pas la même vie non plus, ils seront toujours pressés.

— Et peut-être qu'ils mangeront mal. Ils risquent aussi de se retrouver plus seuls.

— Et puis, un jour, ils iront en maison de retraite.

Là, ils ne dirent plus rien du tout. On sentait que pour eux la maison de retraite, c'était un sujet assez triste.

— Peut-être finit-on par s'habituer, dit le centenaire à casquette.

— Peut-être, mais ne voir que des vieux toute la journée…

— Tu exagères, il y a le personnel aussi.

— Oui, mais tu t'imagines être dans une chambre, au lieu de tout ça ? dit le centenaire à béret en désignant le ciel bleu, la place, les bateaux, la mer, les enfants.

Et il retira son béret, libérant une très belle chevelure blanche. Hector remarqua alors qu'il portait un nœud papillon.

— J'ai une question pour vous, dit Hector.

— Une question ? dit le centenaire à nœud papillon. Ça fait longtemps qu'on ne m'en a pas posé.

— Moi, les questions ça m'amuse, mais ce sont les réponses qui me fatiguent, dit le centenaire à casquette.

— Voilà, dit Hector, à votre avis, qu'est-ce qu'une vie bien remplie ?

Les deux centenaires se regardèrent, et puis ils

éclatèrent de rire. Ça faisait plaisir à voir, mais Hector n'était pas très avancé.

Finalement, le centenaire à nœud papillon arrêta de rire et dit très sérieusement :

— Cette idée de vie bien remplie est assez mauvaise. Parce qu'on ne peut jamais la remplir autant qu'on voudrait. Et on la remplit aussi avec des erreurs, forcément. Ce qui compte, c'est de bien remplir certains moments. Ou plutôt, de vivre pleinement certains instants, si vous voulez.

— Et d'ailleurs, pour bien remplir le présent, il faut souvent faire le vide en soi, dit le centenaire à casquette.

Hector comprit ce qu'il voulait dire. Il savait que pour apprécier un moment, il fallait le laisser vous remplir, ne pas se tracasser pour d'autres choses.

— La vie n'est pas comme une bouteille à remplir, dit le centenaire à nœud papillon, mais plutôt comme une musique, avec certains moments moins réussis ou ennuyeux et d'autres plus intenses. La musique donne une très bonne idée du temps. Une note ne vous émeut que parce que vous vous souvenez de la précédente et que vous attendez la suivante… Chacune ne prend son sens qu'enveloppée d'un peu de passé et de futur.

Le centenaire à nœud papillon se mit à siffloter et le centenaire à casquette l'accompagna aussitôt.

Hector reconnut un air composé par un grand musicien portant perruque qui avait dû avoir l'impression de bien remplir sa vie : il avait inventé des centaines de morceaux de musique et, en même temps, il avait été papa de dix-huit enfants !

Il n'avait pas son petit carnet, mais il se promit de noter :

Exercice de temps n° 25 : Écoutez de la musique et dites-vous que c'est la même chose que le temps. Comparez avec votre vie.

Hector et l'éternel retour

À ce moment-là, la dame qui tenait le petit café sortit de son établissement et vint vers eux.

— Siffler, c'est bien joli, mais il serait peut-être temps de penser au déjeuner, leur dit-elle.

— Oh ! on a tout le temps, dit le centenaire à nœud papillon.

— Il faudrait prévoir pour notre ami aussi, dit le centenaire à casquette en désignant Hector.

— J'avais prévu, dit la dame.

Et elle s'éloigna.

— C'est qu'elle arriverait à nous presser ! dit le centenaire à nœud papillon.

— Tu exagères, elle est juste un peu comme sa mère. Et comme était sa grand-mère aussi, je m'en souviens.

— Comment tu peux te souvenir puisque tu n'es pas d'ici ? dit le centenaire à nœud papillon.

— Toi non plus, dit le centenaire à casquette.

— Ah oui, c'est vrai…

Et ils regardèrent tous les deux Hector.

— Vous allez repartir bientôt ? demanda le centenaire à béret sans béret.

— Je ne sais pas, dit Hector. Je suis content d'être là, mais je ne sais pas pourquoi je suis venu.

— Je pense que vous n'allez pas rester longtemps, dit le centenaire à casquette avec un petit soupir.

À ce moment-là, Hector s'aperçut que sa casquette était une casquette de chef de gare, ce qui était curieux car il n'y avait pas de train dans l'île.

— Vous êtes chef de gare ? demanda Hector.

— Intérimaire, dit le centenaire à casquette de chef de gare.

— Il travaille toujours, dit le centenaire à nœud papillon.

— Mais plus pour longtemps, dit le centenaire à casquette.

— Et si je voulais prendre le train dans votre gare ? demanda Hector.

— Il faut vous dépêcher, parce que, vous savez, je n'en ai plus pour très longtemps, dit le centenaire à casquette avec un petit rire.

Et là, Hector le reconnut.

Un des appareils autour de lui dans la chambre se mit à sonner, et il s'attendit à voir arriver l'infirmière. Mais non, c'était le téléphone.

Hector décrocha.

— Qu'est-ce qui vous est arrivé ? demanda Marie-Agnès. Vous avez loupé le moine.

— C'était intéressant ? demanda Hector.

— Ah oui, j'ai appris la différence entre l'éternité, la sempiternité et l'éviternité.

— Vous allez me raconter, dit Hector, j'arrive.

Mais d'abord il appela Trevor et Katharine. Ce fut Trevor qui répondit.

— Vous avez repris le petit train qui mène au monastère ? demanda Hector.

— Pas moi, mais hier Katharine y est retournée avec des amis.

— Le vieux monsieur qui distribue les billets est toujours là ?

Trevor appela Katharine.

— Non, justement dit Katharine, c'était un jeune. Il m'a dit que le vieux Chinois était trop fatigué.

— J'arrive, dit Hector.

Il se dit que bien sûr Paul et Marie-Agnès ne seraient pas très contents, mais qu'ils comprendraient. Et puis, le vieux François aurait peut-être le temps d'arriver d'ici demain avec sa nouvelle petite locomotive qui serait sûrement charmée de se retrouver dans une aussi belle île et d'admirer le vieux François en train de dire des choses intelligentes. Il était sûr que le vieux François irait discuter avec un centenaire sur un banc du village.

Et si ça n'était pas possible, cela permettrait sans doute au spécialiste du temps de dire « instantanéité » et de faire apparaître le vieux François sur un grand écran vidéo au milieu de l'amphithéâtre. Auparavant, la dame qui se tordait les chevilles sur les cailloux du chemin reviendrait voir Paul sur son banc le matin avec un paquet de nouveaux programmes juste imprimés, ce qui prouvait que le monde était peut-être un éternel recommencement sans aucune amélioration et il fallait être très courageux pour supporter cette idée, comme l'avait dit le philosophe avec une énorme moustache.

Hector se souvint d'ailleurs de son nom : Nietzsche.

Hector est un bon docteur

Le lendemain, avant de partir, Hector alla voir Paul. Ils prenaient tous les deux un café en regardant la mer, qui était d'un bleu très pâle, exactement la couleur du ciel au pôle Nord du côté où le soleil allait se lever, pensa Hector. Ou celle des yeux d'Éléonore, mais il chassa cette pensée.

— Vos pilules m'ont calmé, dit Paul. Mais les questions que je me pose sont toujours les mêmes.

— Sur votre vie bien remplie ?

— Oui. Je me dis qu'elle n'est pas si mal remplie que ça, mais avec quand même pas mal de vide. De plus, il y a un trou au fond de la bouteille !

Paul arrivait quand même à rire un peu de lui : il allait donc un peu mieux.

— Plutôt qu'à une bouteille, dit Hector, essayez de comparer votre vie à de la musique.

Et il raconta à Paul ce que lui avaient révélé les centenaires dans son rêve. (Sans dire que c'était un rêve, bien sûr, car Hector était supposé être un psychiatre moderne, pas un chamane, ou en tout cas, ce n'est pas ainsi que Paul le voyait.)

— Le temps, c'est comme la musique ? demanda Paul d'un air étonné.

— Exactement, dit Hector. Chaque note n'a de sens que grâce à la note passée et à la note future. Une note, c'est comme du présent qui n'arrête pas de devenir du passé. Et pourtant, la musique existe !

Plus tard, en s'éloignant, il entendit Paul qui s'était mis à siffloter.

Assez faux d'ailleurs, et tiens, c'était encore un air du grand musicien aux dix-huit enfants à la vie bien remplie !

Hector boit trop

Éléonore ouvrit le petit carnet et commença à lire.

Exercice de temps nº 1 : Comptez votre vie en chiens.

Exercice de temps nº 2 : Faites la liste de ce que vous vouliez faire quand vous étiez petit et que vous rêviez d'être une grande personne.

Exercice de temps nº 3 : Dans une journée, comptez le temps que vous avez pour vous. Dormir ne compte pas (sauf si c'est au bureau).

Exercice de temps nº 4 : Pensez à toutes les personnes et à toutes les choses auxquelles vous ne faites pas assez attention au présent, parce qu'un jour elles seront du passé, et donc ce sera trop tard.

Exercice de temps nº 5 : Imaginez votre vie comme un grand rouleau de tissu dans lequel on a taillé tous les vêtements que vous avez portés depuis que vous êtes petit. Imaginez tout ce que vous allez pouvoir vous tailler dans la suite du rouleau.

Exercice de temps nº 6 : Écrivez tout ce qui vous fait vous sentir plus jeune. Écrivez ensuite tout ce qui vous fait vous sentir plus vieux.

Exercice de temps nº 7 : Si vous ne croyez pas au Bon Dieu, imaginez que vous y croyez. Si vous y croyez, imaginez que n'y croyez plus. Observez l'effet sur votre vision du temps qui passe.

Exercice nº 8 : Faites un jeu avec des amis. Essayez de trouver une définition du temps. Premier prix : une montre.

Exercice de temps nº 9 : Prenez le temps de réfléchir. Le passé n'existe plus, donc il n'existe pas. Le futur n'existe pas encore, donc il n'existe pas. Le présent n'existe pas, car dès qu'on en parle c'est déjà du passé. Alors, qu'est-ce qui existe ?

Exercice de temps nº 10 : Et si votre vie n'était que le rêve de quelqu'un d'autre ? Dans ce cas, où dort-il ?

Exercice de temps nº 11 : Cachez votre montre. De temps en temps notez l'heure que vous croyez. Ensuite, comparez avec l'heure de la montre.

Exercice de temps nº 12 : En pensant à tout votre passé, essayez de prévoir tout votre avenir (enfin, votre avenir le plus probable).

Exercice de temps nº 13 : Quand vous rencontrez une personne âgée, imaginez toujours comment elle était quand elle était jeune.

Exercice de temps nº 14 : Pensez que vieillir vous rapproche peut-être du Royaume des Cieux (ou du nom de l'endroit dans votre religion).

Exercice de temps nº 15 : Imaginez que vous êtes une vache. Vous ne vous souvenez pas que vous avez été petite. Vous ne savez pas que vous allez mourir. Seriez-vous plus heureux ? À choisir, préféreriez-vous être une vache ? Ou alors un autre animal ? Lequel ?

Exercice de temps nº 16 : Concentrez-vous et prenez conscience qu'il n'y a pas de temps sans mouvement, ni de mouvement sans temps. Le temps, c'est la mesure du mouvement.

Exercice de temps nº 17 : Faites une collection de beaux poèmes sur le temps qui passe. Apprenez-les par cœur et récitez-les avec des amis plus vieux et plus jeunes que vous.

Exercice de temps nº 18 : Passez-vous du temps à essayer de changer ce qui peut être changé ? Essayez-vous d'accepter ce qui ne peut pas l'être ? Passez-vous du temps à faire la différence entre les deux ? Essayez de pouvoir répondre souvent oui à ces trois questions.

Exercice de temps nº 19 : Rencontrez les enfants des femmes que vous ~~aimez~~ avez aimées quand vous étiez plus jeune.

Exercice de temps nº 20 : Lisez un bon livre de sciences sur le temps et la théorie de la relativité. Passez un peu de temps à comprendre pourquoi, si on ne peut pas dépasser la vitesse de la lumière, alors on ne peut pas remonter dans le passé.

Exercice de temps nº 21 : Si vous voulez toujours paraître jeune, restez toujours à l'ombre (ou à la lumière de bougies).

Exercice de temps nº 22 : À votre avis, qu'est-ce qu'une vie bien remplie ?

Exercice de temps nº 23 : Faites un beau tableau à quatre cases : Urgent-Important, Urgent-Pas important, Pas Urgent-Important, Pas Urgent-Pas important. Rangez tout ce que vous avez à faire dans les cases. Êtes-vous avancé ?

Exercice de temps nº 24 : Classez tout ce que vous avez à faire en « important pour bien faire votre travail »,

« *important pour votre patron* », « *important pour votre carrière* ». *Combien de temps passez-vous sur chacun des trois ?*

Exercice n° 24 bis : Classez le temps que vous passez à faire les choses importantes pour vos enfants, pour votre conjoint et pour vous. Montrez le résultat au reste de votre famille.

Exercice de temps n° 25 : Écoutez de la musique et dites-vous que c'est la même chose que le temps. Comparez avec votre vie.

Éléonore lut encore un peu, puis elle referma le petit carnet en disant :

— Je ne voudrais pas avoir l'air de critiquer, mais votre vision de la philo, est un peu sommaire !

— C'est un résumé. Et puis ce n'est pas fini, dit Hector.

— Alors, dit Édouard, pour la suite, pinot ou cabernet ?

— Je te laisse choisir, dit Hector.

Et Édouard appela à nouveau le sommelier chinois.

Ils dînaient tous les trois dans un beau restaurant tout vitré au sommet d'un hôtel. On voyait la ville chinoise qui brillait dans la nuit, et même un petit phare en haut de la montagne pour que les avions ne viennent pas se cogner dessus.

Quand il était reparti pour la Chine, Hector avait appelé Édouard. Il se disait qu'ils ne seraient pas trop de deux pour retrouver le vieux moine. Et puis, il préfé-rait ne pas se retrouver à nouveau tout seul dans la ville chinoise. Autrement, il aurait risqué d'appeler Ying Li une deuxième fois.

— Qu'est-ce que vous picolez tous les deux ! dit Éléonore.

Le problème, c'est qu'Éléonore était venue avec Édouard, d'abord en le pilotant dans son petit avion assez loin au sud, et puis après, elle avait dit qu'elle avait besoin de vacances, et donc pourquoi pas accompagner Édouard ? Édouard avait dit pourquoi pas en effet ?

— Vous savez que l'alcool, ça fait vieillir plus vite ? dit Éléonore.

Hector et Édouard se regardèrent.

— Peut-être que nous n'avons pas peur du temps qui passe, dit Hector.

— C'est plutôt que vous êtes des hommes, vous savez que vous en trouverez toujours une pour aimer vos rides, ou en tout cas pour faire semblant de ne pas les voir !

— Peut-être que boire nous fait oublier le temps qui passe, dit Édouard.

Autour d'eux, aux autres tables, il y avait pas mal de Chinois et de Chinoises très bien habillés qui s'occupaient à oublier le temps qui passe. Édouard avait expliqué à Hector que c'étaient la Chine et le Japon qui avaient sauvé le cognac, et là, on voyait bien qu'ils continuaient.

Ils étaient tous arrivés bien tard le soir en Chine, trop tard pour aller voir qui distribuait les billets du petit train. Avant le lendemain matin, ils n'avaient pas grand-chose à faire, sinon avoir une conversation intéressante.

Éléonore s'était mise à lire la liste des exercices de temps qu'avait notés Hector sur son petit carnet.

— Vous avez réinventé ou vous vous êtes souvenu, je ne sais pas (Hector ne savait pas non plus !), Aristote et saint Augustin : « Il y a un présent du passé, un présent du futur, un présent du présent. »

Hector était impressionné. Éléonore expliqua qu'à part apprendre à piloter, elle avait aussi fait des études de philo.

— Je voulais comprendre à quoi il servait de vivre, dit Éléonore.

Une fois de plus, Hector se dit qu'Éléonore avait dû avoir quelques problèmes avec son papa ou sa maman, ou les deux.

— Ce dont a pris conscience saint Augustin, continuait Éléonore avec les yeux brillants d'excitation, c'est que tout n'existe qu'au présent. Le passé, le futur n'existent qu'au moment où ils sont du présent. Il y a des gens qui disent que le présent n'existe pas, mais on peut dire l'inverse, rien n'existe en dehors du présent ! On ne peut vivre que du présent, il n'y pas moyen d'échapper au présent ! Quoi qu'on pense ou quoi qu'on fasse, c'est toujours aujourd'hui !

Aussitôt, Édouard se mit à chanter d'une assez belle voix :

— *Today is my moment and right now is my story while I laugh and I cry and I sing…*

Today while the blossoms still cling to the wine…

Et il leva son verre pour qu'Hector le remplisse.

— Vous chantez rudement bien, dit Éléonore d'un air étonné.

— … *I'll taste your strawberrys and I'll drink your sweet wine And a million tomorrows shall all pass away here I forget all the joy that is mine toooo-daaaay…*

Une fois de plus, Hector se dit que les poètes faisaient mieux sentir les choses que les philosophes.

— Alors, on peut dire que le présent dure toujours ? demanda Édouard après avoir vidé son verre.

— Exactement, c'est pourquoi on peut dire que le présent c'est le reflet de l'éternité dans le temps !

Hector se souvint : c'était la dernière phrase de Roger sur le motoneige !

— Cette phrase est d'un philosophe danois, Kierkegaard, dit Éléonore. C'est le premier des existentialistes. Il pensait qu'il faut vivre avec passion. Pour lui, vivre, c'était choisir de monter un cheval sauvage, au lieu de choisir de dormir dans une carriole de foin. Je l'aime beaucoup, dit Éléonore avec l'air ému d'une jeune fille qui aurait parlé d'une star du rock.

Hector trouva qu'en effet, Éléonore, avec son petit avion, vivait sa vie comme la cavalière d'un cheval sauvage. D'ailleurs elle l'avait peut-être envisagé, lui Hector, comme nouveau cheval, ce qui était flatteur à un certain niveau.

— Il disait aussi que croire en Dieu ou se marier doivent être des choix passionnels et personnels, car il n'y a aucun argument rationnel pour le faire ou ne pas le faire, mais qu'il faut choisir, s'engager résolument.

Hector se promit de lire Kierkegaard, car dans ces deux domaines, il n'avait toujours pas choisi de choisir.

Du coup, il se rappela aussi ce qu'avait répondu Noumen à Roger.

— Et que faisait Dieu avant la création du monde ? demanda-t-il. Est-ce qu'il y avait du temps alors ?

— Pour saint Augustin, non. Dieu a créé le temps et l'espace comme composantes de l'Univers. Pour Kant, Dieu nous a donné le temps comme moyen de comprendre le monde, ce qu'il appelle une forme *a priori* de la sensibilité, le temps n'a de réalité que dans notre âme. Pour Leibniz, le temps n'est pas dans notre âme, il correspond à une réalité physique extérieure à nous, où les événements se succèdent dans le temps, mais cette réalité est créée bien sûr par Dieu. Pour ces gens, avant la création, il n'y avait pas de temps. Dieu était, ou plutôt est, dans l'éternité, qui est hors du temps.

— Et les physiciens, qu'est-ce qu'ils en disent ? Le *big bang* et tout ça, demanda Édouard.

— Les physiciens nous apprennent que le temps ne s'écoule pas partout à la même vitesse, dit Hector, qui se souvenait de sa conversation avec Hubert et du voyage dans le futur.

— En tout cas, dit Édouard, les physiciens peuvent au moins faire des expériences pour vérifier leurs théories et savoir quand ils se trompent ou quand ils ont raison. Alors qu'avec la philo, on peut dire tout et son contraire !

— Oui, dit Éléonore, mais la philo ça apprend à penser. Et puis, à la fin, on peut se choisir sa petite philosophie personnelle.

— Par exemple ? demanda Hector.

Éléonore le regarda, et Hector se demanda s'il avait bien fait de poser la question.

— Par exemple, moi j'ai choisi de ne vivre qu'au présent. J'évite de penser à l'avenir, et encore plus de penser au passé... ou alors je pense seulement au futur immédiat.

Et Éléonore plongea son regard très bleu dans celui d'Hector.

— Et que devient Hilton ? demanda Hector.

Éléonore se mit à rire.

— Est-ce que c'est encore un truc de psy ? Oh, Hilton il va bien, mais lui c'est l'inverse de moi : il vit dans le passé avec ses petites bulles et, dans l'avenir, il veut fonder une famille.

Hector se dit qu'Éléonore aurait dû apprécier Hilton, car lui aussi faisait des choix passionnels et non rationnels dans sa vie, comme de creuser des trous dans la glace par moins cinquante ou, encore plus difficile, de vouloir fonder une famille avec une fille comme Éléonore... Mais voilà, l'amour est souvent injuste, et Éléonore préférait Hector qui n'était pourtant pas le roi des choix passionnels.

— Et si on finissait au champagne ? demanda Édouard, car l'expression « petites bulles » avait rappelé des souvenirs, ce qui prouve une fois de plus que le passé n'existe qu'au présent, et peut redevenir très vite du futur immédiat, c'est-à-dire du présent du futur, si vous avez bien suivi.

Hector et la tentation

Après le dîner, tout le monde était assez fatigué, surtout Édouard et Hector. Ils décidèrent de rentrer tous à l'hôtel. C'était le même hôtel qu'avait habité Hector la toute première fois qu'il était venu dans cette ville, quand il avait rencontré Ying Li et le vieux moine. Mais il avait bu assez de champagne pour se sentir assez gai, et puis revenir avec Édouard et Éléonore lui évitait de penser à des souvenirs.

Ils se dirent bonsoir en sortant de l'ascenseur, et puis chacun retourna à sa chambre, et Hector avait réussi à éviter de croiser le dernier regard d'Éléonore.

En arrivant dans sa chambre très confortable avec un grand lit fait pour au moins deux personnes, Hector se sentit très fatigué, et il se dit qu'il allait se reposer cinq minutes avant de se laver les dents, et il s'allongea tout habillé sur le lit.

Le colloque continuait, dans le même grand amphithéâtre, mais là il faisait très froid, et au lieu des beaux coussins bleu marine, tout le monde était assis sur des fourrures d'animaux.

Surtout, Hector le remarqua, tout le monde était devenu terriblement vieux, avec des crânes chauves ou des chevelures blanches, et beaucoup d'yeux un peu voilés qui le regardaient. Il remarqua une petite vieille qui avait encore un beau sourire. C'était Marie-Agnès. Quant à Paul, il paraissait tellement vieux, immobile et silencieux qu'on se demandait s'il n'était pas déjà mort, mais il ouvrit un œil et fit un petit signe de tête à Hector. Olivier le biologiste avait aussi terriblement vieilli, et pourtant on voyait qu'il suçotait un hareng mariné.

Hector se disait qu'il avait beaucoup de chance, d'abord à cause de son beau costume en peau de renard des neiges qui lui tenait bien chaud, et ensuite parce que même si lui aussi avait vieilli – il le voyait bien à ses mains toutes ridées –, il se sentait en pleine forme.

— Voilà, je vais vous parler d'une histoire qui intéresse beaucoup les psychiatres et qui leur donne beaucoup de travail : la crise du milieu de vie. Mais je sais bien que c'est un peu tard pour vous.

Il y eut un murmure dans la salle.

— Non, ce n'est pas trop tard pour nous ! s'écria Marie-Agnès.

— Absolument, dit Olivier, on est en plein dedans !

Et Hector se sentit un peu idiot : il avait oublié que, grâce aux progrès de la médecine, tous ces gens très vieux étaient en fait juste arrivés au milieu de leur vie.

— Bon, dit-il, la crise du milieu de vie, c'est justement le moment où on commence à penser à la vie qui reste, parce que avant, quand on est plus jeune, on y pense moins, on vit plus dans le futur proche, on ne pense pas trop aux limites de sa vie, même si on sait qu'elle finira un jour.

— Est-ce qu'on peut dire que la crise du milieu de vie, ça arrive quand on commence à compter sa vie en chiens ?

Hector reconnut Fernand, debout au dernier rang. Lui aussi avait vieilli, mais dans un genre encore plus maigre et encore plus droit. Il tenait un grand chien en laisse, et Hector reconnut Noumen, qui n'avait absolument pas changé et le regardait de son regard clair et intelligent.

— Oui, compter sa vie en chiens, dit Hector, ça peut être un signe. Mais ça n'est pas le seul. On peut dire que la crise du milieu de vie, c'est le moment où vous faites de plus en plus souvent le point sur votre vie, et surtout vous comparez ce que vous attendiez de la vie quand vous étiez plus jeune et ce que vous vivez maintenant. Parfois, ça se passe bien, vous finissez par vous dire que vous avez ce que vous espériez, ou même mieux.

— C'est ce que je me dis, même si ce n'est pas tous les jours facile, dit une dame, et Hector reconnut Sabine, sa patiente qui lui disait souvent que la vie était peut-être une arnaque. Hector était surpris : Sabine n'avait pas tellement vieilli. Elle était assise entre ses deux enfants, un garçon et une fille, qui devaient avoir la vingtaine et qui paraissaient tous les deux un peu plus grands qu'elle.

— Bravo, dit Hector. Mais parfois cela se passe moins bien, parce que vous n'avez pas ce que vous aviez espéré. Ou si vous l'avez, et vous êtes bien déçu. Alors, vous nous dites que ce que vous espériez de la vie quand vous étiez jeune, c'était une mauvaise direction, vous avez été influencé par vos parents et vos professeurs. Et maintenant, cette direction, vous avez envie d'en sortir ! Mais, bien sûr, c'est un peu tard…

— C'est ce que je me dis aussi de temps en temps ! dit Sabine.

— Ah, ça prouve bien que faire des enfants, ça ne résout pas tout ! s'écria Marie-Agnès.

— Personne n'a dit ça, répondit Sabine, un peu énervée.

Brusquement, Hector se sentit angoissé, il n'arrivait pas à se souvenir s'il avait fait des enfants avec Clara. Il se mit à faire des efforts terribles pour s'en souvenir. Et pendant ce temps, il ne parlait pas.

— Mais enfin, Docteur, continuez ! disait Marie-Agnès.

— Oui, dit Paul, là, on perd du temps !

— Attention, dit Olivier, nos télomères vieillissent.

Mais Hector se sentait complètement bloqué. Oui ou non, avait-il fait des enfants avec Clara ?

Paul se mit à taper sur une pile de programmes posée sur ses genoux, comme pour réveiller Hector, et cela faisait un « boum, boum, boum » de plus en plus fort.

On frappait à la porte de sa chambre, et Hector alla ouvrir. Il savait déjà qui frappait et il se disait qu'il valait peut-être mieux ne pas ouvrir, mais il était encore un peu endormi, et le temps qu'il pense ça, son corps avait déjà ouvert la porte.

— J'ai sonné plusieurs fois, dit Éléonore, mais comme il ne se passait rien, j'ai commencé à m'inquiéter, me dire que vous aviez peut-être fait un malaise ou je ne sais quoi.

Elle s'était gracieusement assise sur un des fauteuils de la chambre, et elle alluma une cigarette.

— Vous savez que le tabac, ça fait vieillir ? dit Hector.

— Oh, vous alors ! Bien sûr, je le sais, mais je n'en fume qu'une de temps en temps… ou quand je ne sais pas trop quoi dire.

Et Hector reçut à nouveau le regard bleu d'Éléonore dans le sien. Hector sentait que son propre corps, le même que celui qui avait ouvert la porte, commençait à s'agiter, parce qu'il avait senti le corps d'Éléonore tout près du sien, un peu comme deux animaux qui sentent leur présence dans la nuit.

Il se dit qu'il était bien difficile de résister à la tentation, quand elle s'approchait tout près de vous. La prière qu'on lui faisait réciter quand il était petit était rudement bonne puisqu'elle disait : « Ne nous soumets pas à la tentation. » Peut-être qu'il ne l'avait pas assez récitée depuis !

Il essaya de penser très fort à Clara, mais cela ne marchait pas tellement, car la présence toute proche d'Éléonore qui le regardait était trop forte.

Et puis Hector finit de se réveiller complètement, l'effet du champagne avait cessé, et il vit tout d'un coup absolument tous les détails de la chambre, qui lui rappelait tant de souvenirs, et même la porte en verre dépoli de la salle de bains, derrière laquelle un matin il avait entendu une certaine personne chantonner.

Et c'est ainsi qu'Hector ne fit pas de bêtise et qu'il resta fidèle à Clara.

Édouard est un bon élève

Le lendemain, Hector se réveilla très tôt, et pas de bonne humeur du tout. En se lavant les dents, il pensa que c'était peut-être comme ça que l'on reconnaissait les bonnes actions vraiment bonnes : on ne se sent pas forcément mieux après. Il se consola en se disant que s'il avait cédé à la tentation, comme on dit, il se serait senti peut-être encore plus mal maintenant.

Il aurait pu appeler Clara, mais finalement, il décida qu'il ne valait mieux pas, car il lui en voulait un peu. Il lui en voulait un peu de n'être pas venue avec lui : avec elle, justement, il n'aurait pas été soumis à la tentation. Et quand la tentation arrivait comme hier soir, il était obligé de faire un effort assez douloureux pour lui résister. Il savait qu'il était injuste d'en vouloir à Clara pour tout cela, mais il se dit qu'il valait mieux l'appeler plus tard.

Du coup, ce matin-là, Hector n'avait pas tellement envie de revoir Éléonore, ni Édouard qui l'avait amenée avec lui, et il se dit qu'il allait aller tout de suite à la gare du petit train prendre des nouvelles du vieux moine. Mais avant, il valait mieux appeler Trevor et Katharine.

Parce que vous avez compris, bien sûr, que le vieux

Chinois qui distribuait les billets, c'était le vieux moine. Mais Hector ne l'avait pas reconnu du premier coup, parce que quand vous vous attendez à voir quelqu'un toujours avec une couverture orange sur l'épaule, vous n'y pensez pas quand vous le rencontrez habillé en chef de gare. Hector était sûr que le vieux moine l'avait reconnu, lui, alors pourquoi n'avait-il rien dit ?

Il téléphona à Trevor et à Katharine. Est-ce qu'ils avaient des nouvelles du vieux moine ?

— Ah, dit Trevor, oui. Mais il faudrait se voir pour en parler.

Et il donna à Hector leur adresse dans cette île, une maison sur une des pentes de la montagne. Ils attendaient Hector pour le petit déjeuner.

En sortant de l'hôtel, qui donc Hector croisa-t-il ? Édouard !

— Finalement, je n'arrivais pas à dormir, expliqua-t-il. Alors, je suis ressorti.

Hector préféra ne pas lui demander où il était allé.

Alors, ils décidèrent d'aller tous les deux rendre visite à Trevor et Katharine.

Sur qui Hector et Édouard tombèrent-ils en attendant le taxi ? Éléonore, qui revenait d'une petite promenade très matinale, qui lui avait donné des joues roses, parce que le matin, Éléonore se promenait en courant.

La veille au soir, comme Hector n'avait pas voulu devenir une autre bouteille vide lancée à travers la figure d'Éléonore, il lui avait expliqué très gentiment pourquoi il valait mieux pour tous les deux qu'ils retournent se coucher chacun de leur côté, même si dans un monde parallèle, ou pourquoi pas une vie passée ou future, le temps aurait pu s'écouler autrement pour tous les deux.

Ce matin-là, Éléonore fit un petit sourire à Hector, comme pour lui dire qu'elle ne lui en voulait pas trop.

Et donc, ils décidèrent d'aller tous les trois rendre visite à Trevor et Katharine.

Trevor et Katharine les attendaient au milieu du jardin de leur maison, qui ressemblait un peu à un jardin de leur pays, avec plein de fleurs et surtout de magnifiques hortensias. En tout cas, c'étaient les seules fleurs dont Hector connaissait le nom.

Ils allèrent prendre le petit déjeuner sur la véranda, qui dominait la ville et la mer tout au loin avec des îles ou des bouts de côtes lointaines, des montagnes ou des nuages, c'était difficile de savoir.

Katharine et Trevor expliquèrent qu'auparavant, c'était leur maison quand ils vivaient dans cette ville. Maintenant, des amis vivaient là et la leur laissaient quand ils partaient en vacances.

— Revenir sous cette véranda, c'est comme remonter dans le temps, dit Katharine.

En effet, pensa Hector, si le temps c'est la mesure du mouvement, en ramenant le mouvement en arrière, on pouvait croire qu'on remontait le temps, mais ce n'était pas tout à fait vrai, puisque le mouvement avait continué ailleurs, du côté de vos télomères, par exemple.

D'ailleurs, le thé, la porcelaine blanche et bleue, et tous les toasts parfaitement grillés et les confitures avec plein de noms en *berry*, ça rappela à Hector quand il était petit garçon et qu'il allait apprendre l'anglais pour les vacances dans une famille un peu comme celle de Trevor et Katharine.

— Une vue pareille, ça me donne envie de voler, dit Éléonore en regardant la ville et la mer au loin et toutes les petites îles.

— Ah, piloter ! cela a toujours été mon rêve, dit Katharine.

Éléonore et Katharine continuèrent à se parler. Elles avaient l'air de très bien s'entendre, et Hector s'aperçut que, jeune, Katharine devait ressembler pas mal à Éléonore. Et si cela voulait dire qu'Éléonore, vieille, ressemblerait à Katharine, elle avait de la chance. Bien sûr, il aurait fallu d'ici là qu'elle trouve son Trevor.

À force de boire du thé, Hector dut aller aux toilettes. En les cherchant dans la maison, il tomba sur une vieille photo en noir et blanc de Trevor et Katharine, encadrée et accrochée au mur. On les voyait tous les deux très jeunes, en short, au milieu d'un groupe de petits enfants à l'air tellement pauvre que certains étaient presque nus, et qui regardaient l'objectif d'un air étonné. Et derrière un bout de case qui devait être la salle de classe, et derrière encore la jungle.

Il se souvint de ce que disait Trevor pour supporter le temps qui passe : s'occuper à changer ce qui pouvait être changé.

À son retour, Hector commença à parler du vieux moine avec Trevor.

— C'est là que ça devient délicat, dit Trevor.

Et il partit chercher quelque chose.

Édouard s'était endormi sur son fauteuil, mais tout le monde faisait semblant de ne pas le remarquer.

Trevor revint avec une grande carte et la déplia sur la table.

Hector ne vit d'abord que des montagnes, et puis des lacs, et dans un coin de la carte, une frontière avec la Chine.

— C'est une vieille carte, dit Trevor, parce que maintenant, tout ça c'est aussi la Chine.

Les sommets des montagnes avaient de très beaux noms, comme Shishapangma, Gurla Mandhata ou Karakal.

Trevor montra une vallée entre trois montagnes, où il n'y avait aucun nom de ville ou de village, ni rien d'indiqué. C'était tout au bord du pays qui était devenu la Chine.

— Il est né là, dit Trevor. Alors, il a voulu y revenir pour y mourir.

Hector le sentait depuis un certain temps, mais cela lui fit un petit choc de savoir que le vieux moine allait mourir.

— Mais comment va-t-on là-bas ?

— En avion, dit Éléonore.

Et Hector vit qu'elle regardait la carte depuis le début, et qu'elle avait commencé à faire des calculs dans sa tête, parce que même si Éléonore regardait les horoscopes, elle croyait quand même qu'une partie de son présent du futur était déterminée par ce qu'elle faisait au présent du présent.

À ce moment, Édouard se réveilla en sursaut.

— Excusez-moi ! dit-il en rougissant et en voyant que tout le monde le regardait.

Et puis, il se tourna vers Hector.

— J'ai rêvé, dit-il… Une vallée… perdue.

Hector se dit que le chamane inuit, s'il avait réussi à se réveiller là-bas dans le camp, devait être bien content. Contrairement à beaucoup de professeurs à qui Hector avait donné des petites pilules, le chamane pouvait se dire qu'il avait au moins deux bons élèves.

Hector et l'éternel retour *(bis)*

On aurait dit qu'un ours pilotait l'avion, mais c'était simplement Éléonore avec une grande capuche en fourrure. Peut-être en effet le monde était-il un éternel retour, se dit Hector.

Ce qui lui faisait penser ça, c'était aussi qu'il buvait du très bon champagne de la bouteille qu'Édouard avait apportée – et cette fois dans une vraie coupe, ce qui montrait que le nouveau retour du monde était parfois mieux que le précédent, contrairement à ce que voulait imaginer le philosophe à la très grosse moustache.

Ce qui était en revanche un peu moins bien, c'est qu'au lieu de voler dans la nuit polaire où, comme on ne voyait rien du tout dehors, on n'avait pas trop peur, cette fois ils étaient entourés de tous côtés par de grandes montagnes effrayantes. Chaque fois Hector et Édouard avaient l'impression que l'avion allait s'écraser contre elles et eux avec. Éléonore trouvait toujours un passage entre deux grandes parois de neige et des rochers parce que, avant de partir, elle avait bien regardé la carte et tout bien calculé dans sa tête. Et elle avait sans doute aussi lu son horoscope. Hector se souvint que le philosophe à grosse moustache appelait cette manière de

212

mener sa vie le Grand Style. Et Éléonore avait du style, aucun doute là-dessus.

— Le seul ennui, avait-elle dit, c'est que je ne suis pas trop sûre de l'endroit où atterrir.

Le grand problème quand on pilote un avion, avait expliqué. Éléonore, c'est qu'il faut toujours finir par se poser. Éléonore pensait toujours à un voyage en avion en fonction de l'atterrissage, de même que le philosophe à petite moustache pensait qu'on n'avait un Être-au-Monde vraiment à la hauteur que si on pensait toujours qu'il allait se finir un jour dans la mort, donc que notre Être-au-Monde était un Être-pour-la-mort, si vous me suivez bien. Mais peut-être cette idée était-elle venue au philosophe à l'âge de la crise du milieu de vie ? Hector se dit qu'il vérifierait, à condition qu'Éléonore arrive à poser l'avion.

À ce moment-là, Éléonore eut l'air de vouloir passer au-dessus d'une grande montagne qui s'avançait vers eux. Elle n'avait pas dû trouver de passage, et l'avion se mit à grimper avec un bruit d'effort pas très rassurant, mais la grosse montagne semblait trop haute pour pouvoir être dépassée. Édouard versa vite une dernière coupe de champagne à Hector et ils trinquèrent en croisant les doigts. L'avion entra soudain dans des nuages et ils ne virent plus rien du tout et eurent beaucoup moins peur, mais un peu peur quand même. Ils *savaient* que la montagne était tout près, mais ils ne le *sentaient* plus.

Éléonore avait repoussé sa capuche, et Hector voyait bien qu'elle non plus n'avait pas l'air très détendue.

Et puis le nuage eut l'air de s'envoler, l'avion revint à l'horizontale, et loin devant eux, entre les nuages, ils virent une vallée éclairée par le soleil.

— Voilà ! dit Éléonore.

Hector regardait cette vallée qui s'approchait, une coulée de vert tendre au milieu des immenses montagnes. Il comprit pourquoi, quand on avait connu cet endroit un jour, on pouvait vouloir y revenir pour mourir.

Ils se rapprochèrent. Hector vit un village et, un peu plus haut sur les premières pentes de la montagne, un monastère. Et puis des gens qui regardaient l'avion, un petit garçon qui menait un troupeau de buffles très poilus, des moines en robe orange qui descendaient du monastère sur un petit chemin, des femmes en tuniques de toutes les couleurs qui lavaient des tapis dans la rivière.

Éléonore fit virer l'avion, et Hector et Édouard admirèrent la fine architecture du monastère, la beauté des tapis qui séchaient au soleil et la gentillesse des gens qui leur faisaient de grands signes de bienvenue. Hector se souvint que les buffles d'ici s'appelaient des yaks.

Tout était merveilleux, mais ils trouvèrent que ça l'était un peu moins quand ils sentirent que si Éléonore faisait des tours et des tours, ce n'était pas pour leur faire admirer le paysage, mais parce qu'elle ne voyait pas bien où poser son petit avion. Pourtant, il avait été prévu avec à la fois des patins comme des skis pour la neige et aussi de petites roues à l'intérieur qu'on pouvait sortir.

Au bout de la vallée, on voyait un lac.

— Zut ! dit Éléonore, il aurait mieux valu un hydravion.

Quand même, remarqua Hector, Éléonore aurait dû réfléchir plus avant de partir et prendre un hydravion ! Mais elle expliqua que le lac n'était pas sur la carte.

— On peut tenter de se poser dessus, dit-elle, ça limite les risques de crash. Mais pour le retour…

Hector s'imagina refaire tout le chemin à pied au milieu des montagnes gigantesques. Bien sûr, c'était impossible.

Alors il se dit que d'une manière ou d'une autre, ils allaient tous terminer leur voyage dans cette vallée.

Il pensa très fort à Clara.

Hector et la vallée perdue

Éléonore repéra une prairie à peu près plate tout près du lac et ils se posèrent sans trop de secousses, mais en effrayant pas mal les yaks qui se mirent à courir dans tous les sens.

Une petite procession vint à leur rencontre, des gens du village, des moines, des enfants, et même un ou deux yaks assez curieux qui étaient revenus sur leurs pas et qui étaient assez en confiance, car ici on ne tuait jamais les bêtes.

Un jeune moine parlait anglais. Il expliqua que c'était la deuxième fois de leur vie que les gens et les yaks voyaient un avion. La fois d'avant, c'était celui qui avait amené le vieux moine il y avait une semaine.

— Et il est reparti comment ? demanda Éléonore.

Le jeune moine désigna le lac, et Hector comprit que le premier avion ne repartirait jamais. Mais on avait eu le temps d'en sortir le vieux moine.

Ils se mirent à marcher vers le village. Des petits enfants ne cessaient de passer et de repasser devant eux en courant et en riant en les regardant, car si c'était le deuxième avion qu'ils voyaient, c'étaient les premiers Blancs. Les yeux bleus d'Éléonore, ils ne s'en lassaient pas. Hector remarqua que les enfants, comme leurs

216

parents, étaient habillés de toutes sortes de tuniques de laine, sans doute de yak. Les femmes étaient aussi charmantes que les Inuits, mais plus grandes. Elles avaient les joues plus roses et les yeux plus clairs, et elles portaient de jolis colliers recouverts de petits cailloux précieux. Tout le monde avait des sourires magnifiques, et pourtant, personne n'avait jamais vu de dentiste. Et il y avait beaucoup d'enfants, car les femmes avaient le droit d'en faire comme elles voulaient, contrairement à la partie des montagnes qui était devenue la Chine.

Hector pensa qu'on parle toujours du régime méditerranéen, mais qu'on ferait sans doute bien d'étudier le régime d'ici, surtout quand en arrivant au village, il se sentit très fatigué par la petite marche. Mais les enfants, qui avaient dû courir deux fois la même distance en passant et repassant devant eux, n'avaient pas l'air du tout fatigués, eux, contrairement à Édouard, qui voulait tout de suite s'asseoir et si possible boire un coup. Le jeune moine dit qu'ils pourraient boire au monastère, mais qu'il valait mieux se presser s'ils voulaient voir le vieux moine. Pas le temps de faire du tourisme dans le village aux maisons en tuile de pierre, ni de faire la conversation avec ces gens charmants. Il fallait gravir un petit raidillon plein de cailloux qui montait vers le monastère. Hector et Édouard étaient essoufflés, mais Éléonore pas du tout.

— C'est l'altitude, dit-elle. Vous n'êtes pas habitués.

— Tout va bien, dit Édouard, parce que reconnaître qu'on est moins fort qu'une fille, c'est toujours énervant.

Dans le monastère, ils passèrent par plusieurs salles aux murs recouverts de très vieilles peintures sur bois qui représentaient des démons pourvus de grandes canines en train de se battre avec des dieux très beaux arborant des boucles d'oreilles et aussi des gens ordinaires, mais parfois des singes. C'était beaucoup plus compliqué que ça en a l'air, mais comme le vieux moine attendait, ils n'eurent pas le temps de regarder, et on n'a pas le temps non plus de vous expliquer.

Ils passèrent aussi devant des moines accroupis qui chantaient, mais qui n'eurent pas l'air du tout surpris en voyant Hector, Édouard et Éléonore.

Et puis, le jeune moine s'arrêta devant une très vieille porte en bois sculpté, sur laquelle on voyait un personnage couronné se tenir en équilibre sur un pied au milieu d'un grand cercle, comme s'il jouait avec.

Le jeune moine frappa, et un autre moine plus gros et moins jeune vint ouvrir.

Édouard et Éléonore firent signe à Hector qu'ils préféraient le laisser entrer seul.

Hector s'avança.

Dans une petite pièce très nue, couché sur le côté et la tête reposant sur un oreiller, le vieux moine le regardait en souriant.

Hector, le vieux moine
et le temps qui passe

— Vous comprenez, disait le vieux moine, quand on a commencé à parler de mon âge, je me suis dit qu'il valait mieux que je disparaisse.

Hector ne dit rien, parce qu'il voulait que tout le temps soit occupé par la parole du vieux moine, car il lui semblait qu'il ne lui en restait plus beaucoup, de temps, en tout cas dans ce monde.

— Tous ces gens… dit le vieux moine. Tous ces pauvres gens qui ont peur de la mort. Je suis une sorte de symbole, vous comprenez. Alors, je me suis dit qu'en découvrant mon âge quantité de personnes allaient se précipiter vers ma religion comme si ça devait leur apporter la longévité.

Hector pensa en effet à tous les gens de son pays qui voulaient absolument ajouter des années aux années et vivre leur crise du milieu de vie le plus tard possible. Certains pratiquaient déjà des petits bouts de la religion du vieux moine, un peu comme ils s'étaient mis au régime méditerranéen : pour vieillir moins vite.

— Vouloir rester jeune ou vivre longtemps, ce serait la plus mauvaise raison de se rapprocher de nous, dit le vieux moine.

Il rappela que l'attachement à la vie terrestre était

une très grande entrave, aussi bien dans sa religion que dans celle d'Hector, et dans presque toutes les autres.

Hector ne dit rien non plus parce qu'il n'était pas lui-même très croyant ni pratiquant de sa religion. Même devant un vieux moine d'une autre religion, il se serait senti un peu gêné de le dire. (Certaines personnes vous diront que la religion du vieux moine n'est pas une religion, on pourrait en discuter longtemps, mais ces questions de définitions n'apportent pas grand-chose, comme disait le philosophe qu'Hector aimait bien, Pascal.)

Quand même, à la fin, Hector demanda au vieux moine si cette histoire d'âge c'était vrai.

— Oh, dit le vieux moine, peu importe finalement ! Comment trouvez-vous le thé ? Ici, on ajoute du beurre et de l'orge.

Mais le vieux moine sentit qu'Hector, même s'il n'osait pas poser la question, aurait bien voulu savoir.

— Bon, comme j'ai toujours fait plus jeune que mon âge, c'était assez facile à organiser, l'histoire du père qui disparaît et du fils oublié qui réapparaît, à une époque où il n'y avait pas beaucoup de photos et pas encore de télé, et où j'étais obligé de me déplacer pas mal. Ça m'a donné de la liberté pendant quelques années… j'ai eu le temps d'organiser pas mal de choses.

Le vieux moine toussa et il mit pas mal de temps à retrouver son souffle. Hector aurait voulu faire quelque chose, mais il savait qu'il n'y avait pas grand-chose à faire. Le vieux moine n'aurait pas voulu qu'on l'entoure d'appareils clignotants.

— Enfin, tout cela était nécessaire, dit le vieux moine.

Hector trouva intéressant de voir que le vieux moine avait aussi été un homme d'action, comme Trevor et le général romain. Contrairement à ce que pensaient des gens qui croyaient qu'il était bien de « lâcher prise », de se détacher de tout, de passer beaucoup de temps à la recherche de la sérénité sans plus trop se remuer. Même la compassion pour ses ennemis, encore une autre recommandation qu'on trouvait aussi dans la religion d'Hector, ne devait pas empêcher de chercher à contrarier leurs actions, et même à y mettre pas mal d'efforts. Mais il voyait bien que le temps de l'action était fini pour le vieux moine.

— Et chef de gare, vous avez aimé ? demanda Hector, histoire de se sentir moins triste.

Le vieux moine eut un petit rire.

— Oh, oui ! D'abord, c'était le meilleur moyen de se cacher, vous savez, d'être bien visible. Même vous, vous ne m'avez pas reconnu ! Et Trevor et Katharine non plus, ces chers amis ! Mais je n'ai rien dit quand je vous ai vus, parce que l'endroit était très surveillé, et puis j'étais sûr que nous allions nous revoir…

Hector proposa un peu de thé au vieux moine, et il en but une gorgée.

— Et puis, j'avais passé tant d'années loin du monde, dans ce monastère, et avant bien sûr…

Hector se souvenait qu'avant, le vieux moine avait passé beaucoup d'années dans divers endroits où on voulait le forcer à penser juste. Pour y arriver, on l'avait enfermé très longtemps absolument tout seul. Mais le vieux moine n'y pensait plus à toutes années face à un mur, il souriait en racontant ses souvenirs de chef de gare.

— Comme le monde a changé ! Surtout les femmes de vos pays ! Tout le monde voyage beaucoup plus qu'avant. En même temps, j'ai senti que la plupart des gens ne savent pas ce qu'ils cherchent. Je me suis rendu compte que pour beaucoup de gens dans le monde la vie était devenue beaucoup plus distrayante qu'avant, ils peuvent l'organiser comme un jaillissement permanent de nouveauté, comme disait un de vos philosophes. Les voyages, les métiers dont on change plusieurs fois dans sa vie, de nouvelles amours aussi. Je comprends que les gens soient devenus prisonniers de cet espoir de renouveau et de mieux permanent. Mais vieillir, quitter la vie et ce monde plein de promesses devient alors beaucoup plus difficile à accepter que lorsqu'on vivait à la campagne dans un environnement très dur et qui ne changeait guère au cours d'une vie. Mais maintenant... Vous allez avoir beaucoup de travail ! dit le vieux moine avec le petit rire qu'Hector aimait bien.

Un peu plus tard, Édouard et Éléonore entrèrent, et le vieux moine dit à Éléonore qu'elle ressemblait beaucoup à Katharine quand elle avait son âge.

Éléonore rougit, et puis après elle demanda au vieux moine si, à son avis, le présent et l'éternité c'était pareil. Et le vieux moine dit que bien sûr, le présent était aussi l'éternité, et en même temps un néant, puisqu'il se dissolvait en même temps qu'il était.

— C'est l'éternité, le néant, et en même temps

tout ce qui existe, dit le vieux moine, puisque rien n'existe hors du présent. Et bien sûr, ce Tout est vraiment tout, et donc aussi vous et moi, et même les nuages et les yaks et les montagnes dehors… Il ferma les yeux, il était très fatigué.

Hector, Édouard et Éléonore se regardèrent pour se faire signe qu'il fallait partir.

Mais le vieux moine ouvrit les yeux et regarda Édouard.

— Cher Édouard, dit-il. Le Kablunak-qui-compte-vite ! Est-ce que vous voulez connaître mon âge exact ?

Édouard dit qu'il préférait ne pas le savoir précisément, mais qu'il aurait bien voulu savoir comment le vieux moine était resté jeune si longtemps.

— De bons chromosomes, dit le vieux moine en souriant.

Puis il ferma les yeux, et il s'endormit.

Hector et l'éternité

Hector retourna voir encore une fois le vieux moine dans la journée. Et une fois le lendemain matin. La troisième, le jeune moine lui dit que ce n'était plus la peine.

Bien sûr, il allait y avoir une cérémonie avec tous les moines et les gens du village et même avec les yaks qui faisaient partie du Grand Tout. Hector aurait bien aimé rester, mais Éléonore dit qu'avec les nuages qu'elle voyait arriver, s'ils ne partaient pas tout de suite, après elle ne pouvait pas dire quand ils le pourraient, et peut-être même pas avant le printemps.

Comme Hector aurait voulu éviter de passer de longues semaines à dialoguer avec Éléonore sur le temps et l'éternité au milieu des yaks, car il savait que malgré tous ses efforts, il ne serait pas arrivé à maintenir la Vision Juste ni la Conduite Juste et tout se serait terminé sous une couverture en laine de yak, il dit d'accord à Éléonore pour partir tout de suite.

Il fila chercher Édouard. En fait, celui-ci avait eu le temps de découvrir la boisson locale, une sorte de lait de yak fermenté, et il s'était fait de nouveaux copains parmi les hommes du village, qui eux aussi avaient appris à dire « Halabonvot ». Les jeunes femmes non mariées trouvaient Édouard très rigolo, comme Hector le vit bien en arrivant à l'heure du déjeuner.

Édouard dit qu'il allait rester dans cette vallée.

— Mais tu es fou, dit Hector, et les Inuits ?

Édouard expliqua que les Inuits n'avaient plus besoin de lui. Maintenant, ils étaient capables de faire tourner leur système de ventes et d'achats tout seuls. De toute façon, il reviendrait avec le prochain avion qui arriverait par là et comme Édouard baliserait la bonne piste, il ne se poserait pas sur le lac. Mais quand même, Hector ne comprenait pas pourquoi Édouard voulait rester.

— Toujours ce besoin de nouveauté, dit Édouard. Mais ici, je me dis que c'est peut-être le moyen de finir par m'en détacher.

— Tu veux devenir moine ?

— Ah ça non, dit Édouard, je ne me sens pas taillé pour ! Simplement changer un peu. Et puis, ici, dit-il en montrant les immenses montagnes, les moines qui descendaient le petit raidillon, les yaks qui se promenaient paisiblement, je trouve que ça aide pour bien sentir le temps, l'éternité, tout ça.

Hector trouva qu'Édouard avait donné d'assez bonnes raisons. Il pourrait toujours revenir le chercher avec Éléonore après l'hiver.

En marchant vers l'avion, il prit le temps de noter sur son petit carnet :

Exercice de temps sans numéro : Essayez de sentir que le présent, c'est l'éternité, et que c'est tout et rien en même temps.

Hector savait que cet exercice était difficile, mais

en s'entraînant un peu tous les jours, on pouvait y arriver par moments. Ça pouvait rendre plus à l'aise avec le temps qui passe. Il retrouva Éléonore, qui paraissait très contente. Elle avait repéré un petit pré pour décoller, en fait une descente assez courte, remarqua Hector, et juste après un ravin dont il préférait ne pas voir le fond.

— Bien sûr, c'est en tombant qu'on prendra de la vitesse, dit Éléonore. Après, ça devrait aller.

Quand l'avion commença à tomber, Hector dut penser très fort au vieux moine qui disait que l'attachement à la vie terrestre était une grande entrave, et les secondes lui parurent durer très longtemps. Et puis, Éléonore redressa l'avion et ils reprirent leur vol au-dessus des grandes montagnes toutes dorées par le soleil.

Hector les regarda longtemps, ces grandes montagnes.

En se disant qu'elles aussi n'existaient qu'au présent, Hector sentit un bref instant l'éternité.

Hector revient

Quand Hector retrouva le vieux François, il lui demanda ce qu'il avait pensé de tous les philosophes qu'il avait eu le temps de relire ou de lire.

— Ça force à penser, dit le vieux François.

Hector se souvint qu'Éléonore avait dit la même chose.

— François ? Tu es là ?

Et une dame ouvrit la porte du bureau et passa la tête. À l'air du vieux François, Hector comprit ce qui le rendait joyeux. Comme, pour une fois, la dame avait plutôt l'âge des mères des jeunes femmes qu'aimait d'habitude le vieux François, Hector se dit que cette histoire avait des chances de devenir du présent du futur. Hector se dit que si c'est en lisant de la philosophie que le vieux François était parvenu à changer sa manière d'aimer, ça valait la peine de s'y remettre.

Hector retrouva ses patients, et même que certains commençaient à s'impatienter, à force de ne pas le voir revenir. Ils trouvaient le temps long.

Roger dit à Hector qu'il l'avait vu à la télé.

— Je ne savais pas que vous alliez voir des moines, dit Roger.

— Ce ne sont pas tout à fait les mêmes, dit Hector.

— À voir ! dit Roger.

Et il raconta à Hector que certains dans le temps avaient pensé que le fondateur de la religion d'Hector et de Roger, et celui de la religion du vieux moine, étaient en fait la même personne venue faire un tour dans ce monde à deux époques et à deux endroits différents. Chaque fois les habitants de chacune de ces deux régions assez éloignées avaient raconté ce passage sur la Terre à leur manière. Ils avaient aussi mélangé avec leurs religions locales, qui d'ailleurs avaient eu à continuer de leur côté.

— La compassion universelle, même envers les ennemis, le détachement des biens de ce monde, l'idée d'une fin des temps, dit Roger, décidément très en forme.

Hector ne savait pas trop quoi en penser, mais il se promit quelques bonnes lectures, quand il aurait le temps.

Après quoi Roger expliqua qu'il voulait absolument arrêter tous ses médicaments et Hector dut prendre du retard pour toutes ses consultations de la journée.

Plus tard, Hector reçut Hubert. Hector vit tout de suite qu'il était très heureux.

— J'ai eu raison de toujours y croire, Docteur, à notre amour ! En fait, c'est comme une comète, elle était partie, mais elle est revenue !

Hector se dit que si on poussait la comparaison de la comète, cela voulait dire que la femme d'Hubert repartirait un jour, mais là, il ne dit rien. Il voulait qu'Hubert savoure le présent et peut-être arrive à causer un meilleur présent dans le futur.

Fernand n'avait pas du tout changé. Simplement, maintenant, il avait deux chiens. Hector fut un peu secoué en voyant que le nouveau chien était de la même race que Noumen. On aurait dit son jumeau, avec le même regard clair qui ne quittait pas Hector.

— D'une certaine manière, ça me permet de doubler ma vie en vie de chiens, dit Fernand avec un petit croassement.

Hector comprit que c'était le rire de Fernand. C'était la première fois qu'il l'entendait. Peut-être Fernand allait-il se faire des nouveaux amis ?

Petit Hector dit qu'il s'ennuyait moins en cours.

— Pourquoi ? demanda Hector.

— J'ai une amie, dit Petit Hector. On s'échange des petits mots.

Hector sentit que Petit Hector était très fier d'échanger des petits mots avec une petite fille de son âge. Et l'école, direz-vous ? D'accord, mais pour être heureux dans la vie, apprendre très tôt à parler avec les filles et à les comprendre, n'est-ce pas au moins aussi important que réussir à l'école ?

Sabine avait l'air plus détendue que la dernière fois.

— Finalement, j'ai demandé un temps partiel, dit-elle. J'ai beaucoup moins de pression, et plus de temps pour les enfants. Bien sûr, ce n'est pas terrible pour ma carrière. Mais mon mari dit qu'il s'en fiche.

Hector souhaita à Sabine que son mari pense

toujours pareil, et il se dit que décidément, dans la vie, c'étaient toujours les femmes qui prenaient le plus de risques.

Hector se dit aussi que tous ces gens allaient mieux depuis qu'il était parti en voyage. Cela prouvait donc qu'il pouvait recommencer. Il retrouva aussi Marie-Agnès.

— En fait, après votre départ je l'ai largué, le Paul.

— Mais pourquoi ? demanda Hector.

Il ne comprenait pas, Paul et Marie-Agnès avaient l'air de si bien s'entendre.

— Nous étions dans la même folie, dit Marie-Agnès. Toujours plus, vous voyez ce que je veux dire ?

Hector voyait très bien.

— Je n'ai pas envie de changer, dit Marie-Agnès, je veux rester jeune le plus longtemps possible. Mais j'aimerais être avec un homme qui lui ne s'en soucie pas du tout. Genre intellectuel excité par son travail et qui se fiche de blanchir et de prendre du ventre, enfin pas trop quand même. Ou alors, le genre cow-boy grisonnant, qui pense à ses chevaux…

Hector se dit qu'il s'arrangerait pour qu'un jour Hubert et Marie-Agnès se retrouvent en train d'attendre ensemble dans la salle d'attente, quand la comète serait repartie.

Hector et Clara et...

Le docteur, un copain d'Hector en fait, lui dit que le futur bébé avait l'air en pleine forme. Hector regarda la photo prise dans le ventre de Clara et se dit que c'était bien une preuve que le temps n'était pas une création des humains, puisqu'il en fallait bien, du temps, pour que le bébé devienne plus grand et se rende compte du temps qui passe. Et même, pourquoi pas, se mette à apprendre l'allemand et décide d'écrire des livres de philosophie sur le temps.

Clara regarda la photo et dit :

— C'est incroyable, on dirait qu'il te ressemble.

Hector dit que pardon, mais il ne voyait pas pourquoi c'était incroyable.

— Mais non, dit Clara, je voulais dire : qu'il te ressemble, déjà !

Hector savait qu'à d'autres moments le bébé ressemblerait plus à Clara, et puis à d'autres à Hector, et puis qu'un jour il serait encore jeune quand lui et Clara ne le seraient plus.

Il se dit aussi qu'il avait oublié de noter un exercice de temps très important.

Hector prit son petit carnet et nota.

Clara regarda par-dessus son épaule et éclata de rire.

L'éternité, se dit Hector, que cet instant-là devienne l'éternité.

Hector au jardin

Hector se promenait dans un jardin. Le ciel était d'un bleu profond, avec des petits nuages blancs bien alignés dans tous les sens comme sur une jolie tapisserie.

Il suivait une allée bordée d'hortensias géants, et d'autres fleurs dont il ne connaissait pas les noms. Au loin, il vit quelqu'un qui marchait à sa rencontre. C'était le vieux moine.

Le vieux moine tenait quelque chose à la main, et Hector reconnut son petit carnet ! Même s'il savait que le vieux moine disait toujours les choses gentiment, il était quand même un peu inquiet de savoir ce qu'il pensait de ses petits exercices.

Ils se mirent à marcher tous les deux ensemble, et Hector faisait attention à ne pas marcher trop vite.

Le jardin n'avait pas de limites, Hector le sentait bien. Il voyait au loin des gens se promener le long d'autres allées ou se reposer à l'ombre.

— Où sommes-nous ? demanda Hector.

— Dans un endroit de votre religion, dit le vieux moine.

— Mais dans mon rêve aussi, dit Hector.

— Allez savoir, dit le vieux moine… Au fait, j'ai

lu vos exercices de temps, dit le vieux moine. Ils sont intéressants. Vous avez bien avancé.

— Merci, dit Hector. Mais j'ai l'impression que je n'ai pas trouvé de vision d'ensemble.

— C'est normal, dit le vieux moine, vous êtes si jeune encore…

Ils s'assirent tous les deux sur un banc de pierre à l'ombre d'un hortensia géant.

— Il y a deux niveaux, dit le vieux moine.

Hector était très heureux, il sentait que le vieux moine allait lui dire des choses importantes.

— Le premier niveau, dit le vieux moine, vous le pratiquez chez vous dans votre civilisation. C'est tout ce qui se ramène à mieux organiser son temps, ne pas perdre son temps, et bien sûr tout faire pour rester jeune le plus longtemps possible. Vous avez des centaines de livres pour vous aider.

— C'est utile ? demanda Hector.

Le vieux moine eut le petit rire qu'Hector aimait bien.

— Tant qu'on n'arrive pas à dépasser ce niveau, autant le faire le mieux possible, dit le vieux moine.

Hector se dit que Paul, Marie-Agnès et beaucoup d'autres seraient contents de savoir que leurs efforts n'étaient pas ridicules aux yeux du vieux moine.

— Bien sûr, dit le vieux moine, ça ne prépare pas forcément à vieillir et à mourir, ce qu'on ne pourra éviter de toute façon.

— Et le deuxième niveau ? demanda Hector.

Le vieux moine sourit.

— Vous vous souvenez de votre dernier exercice ?

234

Sentir que le présent, c'est l'éternité. Car toujours nous sommes aujourd'hui.

— Oui, dit Hector.

— C'est une voie d'entrée, dit le vieux moine. Mais tout le monde n'est pas fait pour…

Voilà une chose qu'aimait Hector à propos du vieux moine : il ne voulait forcer personne à voir les choses comme lui.

— … et puis le détachement, à force de vouloir à tout prix le détachement, on peut finir par trop vouloir s'attacher au détachement…

Ça rappela à Hector ce qu'il avait dit à Éléonore sur le désir de vouloir échapper au temps qui devenait une autre prison.

— Alors ? dit Hector.

— J'ai beaucoup aimé la phrase sur changer ce qui peut être changé, accepter ce qui ne peut l'être, et faire la différence.

— Ce n'est pas de moi, dit Hector.

— Oui, je sais, mais c'est un très bon exercice. À faire tous les jours. Le détachement, mais pas l'inaction.

Le détachement, mais pas l'inaction ! se dit Hector. Voilà une phrase excellente pour conclure ses petits exercices.

— Mais ce n'est pas tout, dit le vieux moine.

Zut, se dit Hector, il n'avait pas encore trouvé sa conclusion pour faire face au temps qui passe.

— Alors ? demanda Hector.

Le vieux moine sourit.

— Il faut que vous réfléchissiez encore un peu,

mon cher ami. L'action, d'accord, mais pourquoi ? Pourquoi pas l'inaction ? Hector ne voyait pas la réponse.

— Allez, au revoir, sans doute, dit le vieux moine.

Et le vieux moine s'en alla tranquillement. Hector vit qu'il avait laissé son petit carnet sur le banc. Hector le prit et il nota :

Le détachement mais pas l'inaction.

Comme lui avait conseillé le vieux moine, il continua de réfléchir.

L'action, mais pourquoi ?

Il commença à penser à Édouard. Il était devenu moins impatient en s'occupant des Inuits. Et puis, il pensa à la photo de Trevor et Katharine au milieu des petits enfants dans la jungle. Il se rappela Éléonore, toujours contente d'emmener des gens dans son avion. Et puis aussi Ying Li qui avait l'air si heureuse en regardant son petit garçon ou en voyant sa maman et ses sœurs dans la jolie maison.

Le deuxième niveau ! J'ai trouvé, se dit-il.

— Tu parles en dormant, maintenant ? dit Clara.

Plus tard, Hector s'aperçut qu'il avait oublié la fin de son rêve. Il n'arrivait plus à se souvenir de l'idée qui lui avait fait crier : « J'ai trouvé ! »

Mais si vous avez bien lu ce livre, vous avez déjà deviné.

Table

Remerciements

Ma reconnaissance à mon père et à Hélène pour leur écoute et leurs conseils.

Merci à mes amis des deux deltas, avec qui il fait bon passer le temps.

Et merci bien sûr à Odile Jacob, Bernard Gotlieb et toute leur équipe pour l'attention qu'ils ont consacrée à ces nouvelles aventures d'Hector.

Compogravure : Facompo, Lisieux

Impression réalisée par

La Flèche (Sarthe), le 06-10-2010
N° d'impression : 60589
N° d'édition : 7381-2144-3
Dépôt légal : septembre 2008
Imprimé en France